RE: 6.40
04/93

GUIDE DU SOIN DES ARBRES

MAURICE THIBAULT

Pour horticulteurs

GUIDE DU SOIN DES BRES

et arboriculteurs amateurs

ÉDITIONS DU TRÉCARRÉ

Conception graphique : Dufour et fille design
Illustrations : Maurice Thibault
Photographies : Maurice Thibault, René
Cauchon, Gaston Laflamme et André Lavallée,
André Carpentier, Denis Lachance, Claude
Moffet, Centre de foresterie des Laurentides
(photos anonymes)
Dactylographie : Sylvie Fiset
Révision linguistique : Marie Rose Vianna

ISBN 2-89249-356-0

Dépôt légal — 1er trimestre 1993
Bibliothèque nationale du Québec

Imprimé au Canada

Éditions du Trécarré
Saint-Laurent (Québec) Canada

REMERCIEMENTS

Je désire remercier tout particulièrement André Lavallée, Denis Lachance, Gaston Laflamme, René Cauchon et André Carpentier de m'avoir facilité l'accès du laboratoire de pathologie et mycologie forestière du Centre de foresterie des Laurentides, ainsi que Robert Gauthier, grâce à qui j'ai pu consulter l'herbier Louis-Marie de l'Université Laval. Je sais gré à Sylvie Fiset et Larry Leclerc, sans oublier Gilles Leroux du Département de phytologie, de m'avoir accordé une aide précieuse dans la réalisation de ce guide.

Pour leur participation active et leur aide sur le terrain et dans la consultation de l'herbier, je tiens également à témoigner ma vive reconnaissance à Marielle Lachance, Léas Sirard, Bruno Boulet, France Proulx, Charles-André Chamberland, André Belle-Isle, Diane Perron, Michelle Garneau, Claude Roy, Yvon St-Pierre, Jacques Bélanger, Jocelyn Boily, Jacques Tremblay et André Fortin.

INTRODUCTION

«La maladie est un déséquilibre dans la
nature où tout doit être harmonie.»
Platon, *Le Banquet*

Ce guide s'adresse avant tout aux horticulteurs ou
arboriculteurs amateurs. Ce n'est pas un ouvrage
spécialisé, mais il peut faciliter la recherche d'un
diagnostic et l'application éventuelle d'une thérapie.
C'est en quelque sorte la vulgarisation d'ouvrages
scientifiques publiés tant aux États-Unis et au Canada
qu'en Europe, particulièrement en France et en
Allemagne. Nous avons tenté d'en faciliter l'accès en
traitant dans ces pages des maladies qui nous paraissent
les plus importantes.

La phytopathologie, cette branche de la botanique qui
étudie les maladies des plantes, est une science très
ancienne comme en témoigne Marcus Terentius Varro
(116 – 27 av. J.-C.) qui signale et décrit des *épidémies* de
rouille sur des plantes potagères. À cette époque, on
considérait que les intempéries ou l'influence maléfique
de certaines constellations étaient les causes principales
des maladies. On invoquait les dieux pour qu'ils
protègent les récoltes et favorisent l'agriculture. Les
termes «contagieux» et «contagion» sont apparus en 1714
sous la plume de Tillet, un Bordelais, qui avait constaté le
pouvoir de contagion de grains de blé atteints de la
maladie du charbon sur des grains sains. La cause de cette
contamination paraît avoir été inconnue avant cette date
et ne commença à trouver son explication qu'en 1774, à
la suite des recherches du Danois Johann Christian
Fabricius qui semble être le premier à attribuer ce
processus d'infection à un *champignon*. C'est en 1850
toutefois qu'on doit aux frères Tulasnes, de France, les
premières études descriptives de *phytopathologie*. Plus
tard apparurent d'autres travaux plus complets et en des
domaines autres que l'agriculture. En effet, les premiers

ouvrages sur la pathologie forestière furent réalisés en Allemagne par Willkomm en 1866 et par Hartig en 1882. À la même période, on vit naître la thérapeutique, branche qui traite des actions et pratiques destinées à guérir, à soigner les maladies. C'est Isaac Bénédict Prévost en 1807 qui relata les propriétés fongicides du sulfate de cuivre pour le traitement de la carie du blé. Le mot «phytopharmacie» naquit de recherches plus poussées sur des thérapies possibles et des substances fongicides plus nombreuses. À la fin du XIXe siècle, beaucoup de maladies furent dépistées et répertoriées par Viala, Millardet, Foex, Ravaz, Vermorel, etc. Elles concernaient des *infections* comme l'oïdium, le mildiou, le black-rot et le phylloxéra. En France, G. Viennot-Bourgin publia en 1949 un recueil de pathologie végétale décrivant de nombreuses maladies. La même année, deux Belges, H. Scheerlinck et C. Verdickt, complétèrent les travaux effectués en Europe. Aux États-Unis et au Canada, des phytopathologistes vinrent s'ajouter à cette liste de pionniers et, depuis, grâce à leurs recherches, ont fait de la phytopathologie une science médicale des plantes complète et très utile dans les domaines des cultures et de l'exploitation des forêts.

Connaît-on vraiment l'utilité des arbres sur notre planète? Nous dressons ici, en guise de conclusion et de réflexion, une liste qui aidera les lecteurs à comprendre l'influence de la végétation sur l'environnement. Du point de vue architectural, les arbres forment un écran qui embellit les rues, les quartiers, les pâtés de maisons en servant de mur décoratif ou en adoucissant l'aspect plus rébarbatif d'autres éléments architecturaux. Leur présence dans les parcs urbains et devant les habitations constitue un aménagement esthétique pour la vue. Songeons aux couleurs, aux parfums, à l'élégance des feuillages qui rehaussent le paysage. Les arbres filtrent l'ardeur des rayons solaires, servent d'écran acoustique le long des circuits routiers et autour des usines. Ce sont aussi de merveilleux gîtes pour les oiseaux et certains animaux. Ils contribuent à la qualité de l'environnement, car ils purifient l'air et servent à combattre l'érosion. Les arbres, enfin, sont essentiels à la stabilité du climat; ils font office de coupe-vent, de barrière contre les amoncellements de neige, ils filtrent les précipitations, stabilisent la température et modèrent l'évaporation du sol dont ils évitent ainsi l'assèchement. En bref, les arbres sont l'agent de conservation de la biomasse mondiale. Il est impossible d'énumérer ici toutes les vertus du monde végétal, mais vous aurez certainement l'occasion d'en découvrir d'autres si vous lui accordez soins et amour.

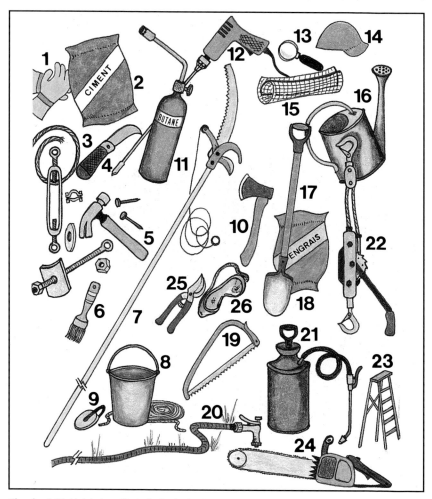

Planche 1 Matériel et outils de l'arboriculteur

1- gants de travail

2- sac de ciment

3- matériel à haubanage

4- serpette ou couteau

5- marteau et clous galvanisés

6- pinceau

7- sécateur à long manche

8- seau

9- poulie (corde de nylon)

10- hache ou hachette

11- torche au propane ou l'équivalent

12- foreuse électrique (ou chignole)

13- loupe

14- chapeau protecteur

15- grillage de fil de fer galvanisé

16- arrosoir

17- pelle

18- engrais, organique de préférence

19- sciotte

20- boyau d'arrosage

21- pulvérisateur pour dispersion en fines gouttelettes

d'un *pesticide* ou d'une *bouillie* traitante

22- cric à câble d'acier

23- escabeau (ou échelle selon le cas)

24- tronçonneuse

25- sécateur de poche

26- lunettes de protection

COMMENT UTILISER CE GUIDE?

L'ouvrage comporte six sections : la section vert pâle aborde les notions générales de botanique; la section verte décrit la nature du sol, les engrais, le choix et la plantation de différentes espèces d'arbres et d'arbustes; la section bleue expose certaines formes de pathologie végétale; la section violette analyse les *maladies* de la cime des arbres et des arbustes; la section rouge, celles du tronc ou de la tige; la section orange, celles du système racinaire; la section beige dresse l'inventaire des *fongicides*, *antibiotiques* et *antiseptiques* d'usage courant et, enfin, donne la liste des mesures de protection à prendre contre les insectes nuisibles au moyen d'*insecticides* recommandés.

Note : Les lecteurs trouveront en annexe la liste des noms scientifiques et français des essences mentionnées dans le texte ainsi que celle des noms scientifiques et français des phytopathogènes et des maladies qu'ils transmettent.

Mentionnons enfin que la plupart des définitions des termes techniques sont inspirées du *Petit Robert I* et du *Glossaire des termes utilisés en pathologie végétale* de C. Aubé (1971).

Matériel et outils de l'arboriculteur
Les objets illustrés sur la planche 1 (*page de gauche*) sont la panoplie d'un parfait arboriculteur, qu'il soit novice ou chevronné. D'autres outils plus perfectionnés existent sur le marché et pourront s'ajouter à la liste suivant les besoins et l'ampleur des travaux à exécuter.

NOTIONS DE BOTANIQUE

LES DIFFÉRENTES PARTIES D'UN ARBRE
Avant d'aborder certaines notions de phytopathologie, nous croyons nécessaire de donner une brève description des caractères morphologiques des parties d'un arbre. Il est donc important de vous référer aux quelques schémas présentés plus loin pour vous familiariser avec les différentes composantes d'un arbre. Par la suite, vous pourrez plus facilement reconnaître les signes d'une maladie sur un tissu ou un organe de l'arbre ou de l'arbuste.

L'arbre se compose de trois parties principales : la cime, le tronc et les racines (*voir planche 2, page 16*).

La cime
La cime est constituée des branches principales, des branches secondaires et du feuillage. Les branches canalisent vers le feuillage la sève brute, ou sève montante, provenant des racines et du tronc. C'est par les mêmes organes que la sève élaborée ou enrichie, donc descendante, est transportée dans l'arbre tout entier. La sève brute se compose de substances nutritives ou minérales puisées dans le sol par les racines. Cette sève monte jusqu'aux feuilles et, par le processus de la photosynthèse (captation de l'énergie solaire), est redistribuée dans toutes les parties de l'arbre sous forme de sève élaborée ou enrichie. Nous verrons plus loin les différentes fonctions végétales et le rôle qu'elles jouent dans la nature. Chaque printemps, les bourgeons de l'année précédente se développent pour donner naissance à de nouvelles branches, à des feuilles, à des fleurs et à d'autres bourgeons. Chaque bourgeon contient un méristème apical qui assure la croissance en longueur d'une branche. Le méristème est un tissu jeune

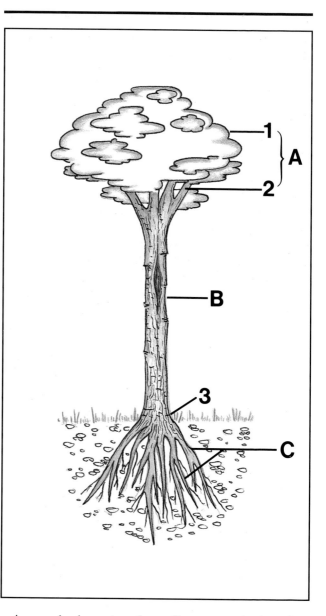

qui engendre les autres tissus d'un organe (racine, tige, bourgeon) et dont les cellules très serrées sont en voie de cloisonnement. Apical se dit de la partie qui forme le sommet d'un organe; ce mot vient du latin *apex*. Les branches de l'année, généralement verdâtres, sont moins ligneuses, donc ont moins la consistance du bois, et portent à leur base une zone annulaire constituée de lignes qui sont en fait les cicatrices laissées par les fines écailles qui proviennent du bourgeon terminal de la branche de l'année précédente. Chaque branche peut porter différentes formes de feuilles, soit simples à nervures pennées ou palmées, soit composées à nervures pennées ou palmées (*planche 3*). Quelle que soit leur forme, les feuilles jouent toujours un rôle important dans l'alimentation et la croissance de l'arbre. Les branches sont constellées de petites ouvertures, les lenticelles, qui conduisent les échanges gazeux, entre autres l'oxygénation, du milieu intérieur vers l'extérieur et vice versa. Ces lenticelles sont donc des voies d'aération dans le liège des arbres qui ont l'aspect d'une petite tache poreuse à la surface des rameaux. Les branches portent aussi des cicatrices foliaires qui indiquent l'endroit où était inséré le pétiole (ou la queue) de chaque feuille avant qu'elle tombe à l'automne. Les feuilles de la plupart des conifères se nomment aiguilles ou écailles (*planche 4*).

Planche 3
Les feuilles

1- feuille simple à nervures pennées

2- feuille simple à nervures palmées

3- feuille composée pennée

4- feuille composée palmée

5- bourgeon terminal

6- cicatrice foliaire

7- rameau ou branche annuelle

8- bourgeon latéral

9- cicatrice du bourgeon terminal de l'année précédente et vieilles écailles de ce bourgeon

10- lenticelle

11- branche de l'année précédente

12- coupe du bourgeon

13- méristème apical

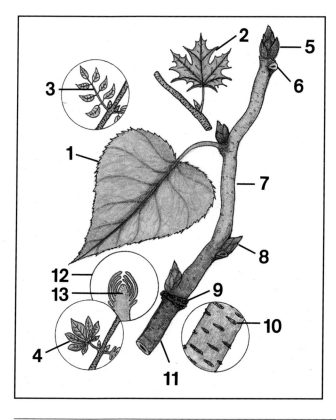

Elles sont persistantes toute l'année, sauf chez le mélèze. Certaines aiguilles sont juchées sur des coussinets, d'autres sont directement reliées à la branche. Les aiguilles de pin sont réunies en un faisceau entouré à la base d'une gaine papyracée, ainsi nommée parce qu'elle est fragile, presque transparente et a l'apparence d'un papier très fin. Une coupe transversale des aiguilles de conifères en révèle la géométrie : l'aiguille de l'épinette a une section quadrangulaire, celle du sapin une section aplatie et celle du pin une section triangulaire.

Certains bourgeons se développent en donnant naissance à des fleurs. Une fleur complète se compose d'un réceptacle portant des pièces florales formées par les pétales et les sépales, d'un appareil reproducteur mâle constitué par les étamines et d'un appareil reproducteur femelle, l'ovaire. Les étamines se terminent par une partie renflée, l'anthère, sur laquelle se forment les cellules mâles que sont les

Planche 4
Les aiguilles

1- aiguille à section quadrangulaire

2- aiguille à section aplatie

3- aiguille à section triangulaire

4- coussinets sur rameaux (détail)

5- cicatrice foliaire sur coussinet

6- feuilles en forme d'aiguilles

7- feuilles en forme d'écailles

8- cicatrice foliaire

9- aiguilles réunies en touffe

10- gaine

11- aiguilles réunies en faisceau

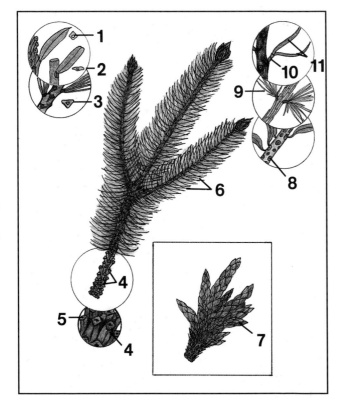

grains de pollen. L'ovaire renferme des cellules femelles, les ovules; il se termine par un petit réceptacle nommé stigmate sur lequel les grains de pollen se déposent par différents modes de *dissémination* pour enfin féconder les ovules et produire les graines nécessaires à la reproduction de l'espèce. Après fécondation, l'ovaire se transformera en péricarpe qui, avec les graines qu'il contient, constitue le fruit. Chez les conifères, la graine est nue sur les écailles dont l'ensemble forme le cône femelle. Les cônes mâles, beaucoup plus petits, libèrent le pollen nécessaire à la fécondation des ovules qui, ensuite, donneront des graines ailées et libres. Le grand nombre de types de fleurs, la complexité, dans certains cas, de leur reproduction et la grande diversité des appareils reproducteurs nous obligent ici à schématiser une fleur fictive pour donner une idée plus claire de sa composition.

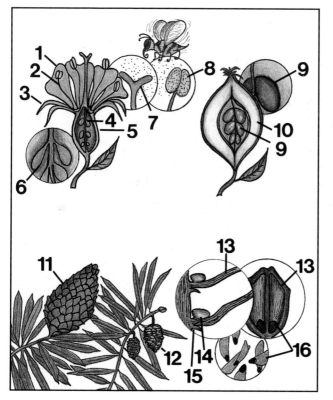

Planche 5
La fleur, le fruit et la graine

1- pétale

2- étamine

3- sépale

4- ovule

5- ovaire

6- détail de l'ovule

7- stigmate

8- anthère sur laquelle se développent les grains de pollen

9- graine

10- fruit

11- cône femelle

12- cône mâle

13- écaille

14- ovule nu

15- bractée

16- graine ailée

Le tronc

Le tronc est un organe aérien qui permet à la sève de circuler des racines au feuillage et inversement. Il sert à élever le feuillage plus ou moins haut dans les airs pour exploiter les ressources atmosphériques. Le tronc assure aussi le transport de la nourriture vers tous les organes de l'arbre et sert de support aux organes reproducteurs. Pour bien comprendre l'action des maladies sur les arbres, nous devons mentionner les parties qui forment le tronc et définir leurs rôles respectifs. L'écorce, de consistance ligneuse, sert principalement à protéger les tissus internes. Le liber conduit la sève élaborée ou enrichie dans toutes les parties de l'arbre. Le cambium sert à développer diamétralement le tronc et les branches et, ce faisant, produit chaque année un anneau de croissance. L'accumulation des anneaux annuels de croissance constitue le cœur (ou duramen) et l'aubier qui eux-mêmes forment le bois de l'arbre. Le bois canalise donc la sève brute ou montante et l'ensemble des anneaux annuels de croissance représente l'âge de l'arbre.

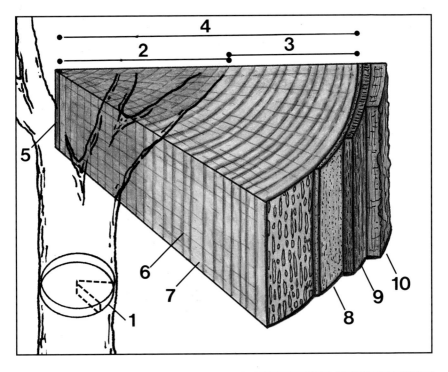

Les racines

Les racines servent à fixer l'arbre dans le sol et à y puiser l'eau et les éléments minéraux nécessaires à sa croissance. Ne pouvant se déplacer pour chercher sa nourriture, l'arbre élabore un système racinaire souterrain parfois très étendu. Plusieurs types de racines existent dans la nature. Les deux principaux sont d'une part les racines fasciculées que l'on retrouve chez les arbustes et, d'autre part, les racines pivotantes des arbres. Les racines fasciculées sont des racines sans pivot, formées de nombreuses racines fines; les racines pivotantes possèdent un pivot gros et long. Le système racinaire se divise en racine principale, racines secondaires, tertiaires, etc., suivant sa complexité, et la plus petite subdivision se termine par des radicelles; ces dernières sont soit les plus petites racines du système radiculaire des plantes, soit chacun des petits filaments qui proviennent de la ramification de racines plus importantes. C'est à ce niveau que s'effectue l'absorption d'eau et de substances minérales nécessaires à la vie.

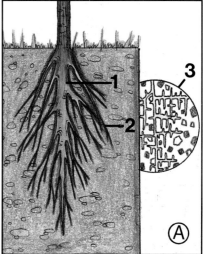

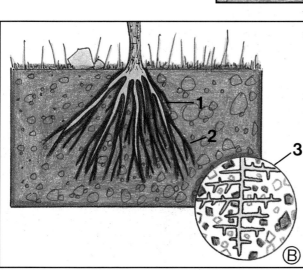

Planches 7a et b,
En haut
b) Racine pivotante

1- racine pivotante principale

2- racine secondaire

3- radicelles

À gauche
a) Racine fasciculée

1- racine principale

2- racine secondaire

3- radicelles

LES FONCTIONS VÉGÉTALES

Les plantes vertes sont des organismes *autotrophes* qui peuvent fabriquer des substances nutritives à partir d'éléments minéraux puisés dans le sol et de certains gaz contenus dans l'atmosphère. Parmi les nombreux mécanismes de synthèse que possèdent ces organismes, nous distinguons les phénomènes de la photosynthèse, la photolyse et la fixation du gaz carbonique résultant de la combustion animale, industrielle, etc. Ces phénomènes de synthèse engendrent une série de réactions chimiques dont le but est de former des glucides. Ces glucides sont des substances organiques de synthèse également appelées hydrates de carbone qui sont fabriquées à partir de trois phénomènes : par photosynthèse, par photolyse et par fixation du gaz carbonique (CO^2). D'autres réactions chimiques libèrent dans l'atmosphère une certaine quantité d'oxygène nécessaire à la respiration animale et végétale. Aussi est-il important ici de donner une brève description de ces phénomènes essentiels à la vie sur Terre.

Par photosynthèse, la plante verte capte une partie de l'énergie solaire au moyen de pigments photosensibles qui constituent la chlorophylle, puis elle transforme cette dernière en énergie chimique utilisable. Les pigments sont des substances colorées, fabriquées par les êtres vivants, comme la chlorophylle chez les plantes vertes. Cette synthèse nécessite l'intervention des phénomènes de la photolyse et de la fixation du gaz carbonique. La photolyse décompose les molécules d'eau contenues dans l'atmosphère dans le but d'utiliser l'hydrogène et le gaz carbonique nécessaires à la synthèse des glucides ou hydrates de carbone. L'oxygène contenu dans les molécules d'eau est aussitôt libéré dans l'atmosphère. Ces trois phénomènes se produisent en période lumineuse, c'est-à-dire le jour. Les glucides ou hydrates de carbone seront utilisés en période d'obscurité, c'est-à-dire la nuit, afin de pourvoir à la croissance et au développement de la plante. Si l'un de ces phénomènes est interrrompu par un *traumatisme* extérieur d'ordre pathologique (maladie) ou physiologique (blessure), il s'ensuivra une diminution des fonctions vitales ou même leur arrêt, causant ainsi la mort de l'arbre ou de l'arbuste atteint.

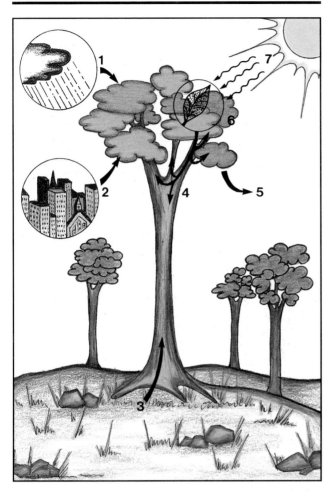

1- eau de pluie

2- gaz carbonique provenant de l'activité animale, industrielle, etc.

3- eau et substances minérales contenues dans le sol et distribuées sous forme de sève brute

4- distribution de la sève élaborée ou enrichie, donc riche en glucides, dans toutes les parties de l'arbre

5- oxygène libéré dans l'atmosphère par l'action réciproque des phénomènes de la photosynthèse, de la photolyse et de la fixation du gaz carbonique

6- feuille verte absorbant l'énergie solaire (photosynthèse)

7- rayons solaires fournissant l'énergie nécessaire à la production des glucides ou hydrates de carbone

LA LONGÉVITÉ DE CERTAINES ESPÈCES D'ARBRES

Le tableau suivant exprime l'âge maximal de croissance approximatif de quelques arbres et arbustes en Amérique du Nord lorsqu'ils sont placés dans des conditions idéales de vie.

Tableau 1 – **LA LONGÉVITÉ D**

LES CONIFÈRES

ESSENCES	ÂGE MAXIMAL
Pin blanc	250-300
Pin gris	100-125
Pin rigide ou dur	100-125
Pin sylvestre	150-200
Pin noir	100-125
Pin mugo	150
Mélèze laricin	125-150
Mélèze d'Europe	125
Mélèze de Sibérie	150
Mélèze du Japon	150
Épinette blanche	150
Épinette noire	150
Épinette rouge	150
Épinette de Norvège	200
Épinette du Colorado	125
Pruche de l'Est	150
Fausse pruche	200
Sapin de Douglas	150
Sapin baumier	120
Sapin du Colorado	125
Thuya occidental	250
Thuya d'Orient	150-200
Cyprès	250
Genévriers	150
If du Canada	50
If d'Europe	50
If japonais	50-75
Ginkgo	(Très variable

selon les régions, mais peut vivre 300 ans et beaucoup plus dans la zone tempérée et même jusqu'à 1000 ans.)

LES FEUILLUS

ESSENCES	ÂGE MAXIMAL
Saules	100
Osier jaune «Saule blanc»	75
Saule pleureur	100
Saule fragile	75
Saule laurier	100
Olivier de Bohême	75
Peuplier faux-tremble	75
Peuplier baumier	75
Peuplier deltoïde	75
Peuplier blanc ou argenté	70
Peuplier d'Italie	100
Noyer noir	150
Noyer cendré	150
Noyer royal	150
Caryer à noix douces	200
Caryer à noix amères	200
Ostryer de Virginie	150
Charme de Caroline	100
Bouleau jaune	200
Bouleau pleureur	75-90
Bouleau pubescent	75-90
Bouleau blanc	75-90
Bouleau gris	50-75
Aulne commun	50
Aulne glutineux	50
Hêtre à grandes feuilles	150
Châtaignier cultivé	100
Châtaignier d'Amérique	70
Marronnier d'Inde	75
Chêne blanc	200
Chêne rouge	200-225

LES FEUILLUS

ESSENCES	ÂGE MAXIMAL
Chêne à gros glands	200
Chêne noir	150
Chêne rouvre	150
Chêne à glands sessiles	150
Orme d'Amérique	300
Orme rouge	250
Orme parasol	100
Orme de Sibérie	100
Magnolias	75
Hamamélis	50
Platanes	100
Sorbier d'Amérique	75
Sorbier plaisant	50-75
Sorbier des oiseleurs	75
Aubépine monogyne	50-75
Aubépine commune	50-75
Pommiers	variable
Amélanchiers	variable
Cerisier tardif	60
Cerisier de Virginie	50
Cerisier amer	50
Cerisier de Pennsylvanie	50
Prunier noir	40
Vinaigrier «Sumac amarante»	30
Érable à sucre	200
Érable rouge	150
Érable à épi	40
Érable de Pennsylvanie	40
Érable negundo	125

LES FEUILLUS

ESSENCES	ÂGE MAXIMAL
Érable noir	125
Érable argenté	100
Érable de Norvège	100
Tilleul d'Amérique	120
Tilleul à petites feuilles	150
Tilleul argenté	120
Cornouillers	50
Frêne d'Amérique	100
Frêne de Pennsylvanie	75-100
Frêne noir	90
Frêne bleu	80
Viornes ou Alisiers	50
Sureaux	20
Féviers épineux	75
Gros févier ou Chicot du Canada	75
Robinier faux-acacia	75

L'HERBE À LA PUCE :
Mise en garde et précautions à prendre

Si cette plante pousse près de chez vous, dans un parterre, à proximité de votre jardin, ou près des arbres ou arbustes malades, méfiez-vous! Elle provoque souvent de vives irritations de l'épiderme et même l'empoisonnement chez des personnes plus vulnérables.

Vous devez donc connaître ses caractéristiques pour pouvoir l'identifier correctement. L'Herbe à la puce ou Sumac vénéneux peut croître soit comme une plante dressée, soit être rampante ou grimpante. Elle grimpe fréquemment aux poteaux des clôtures ou aux arbres. La tige peut être ligneuse ou herbacée et elle porte des feuilles alternes à la fois composées de trois folioles. Les folioles ont des côtés asymétriques, c'est-à-dire qui ne sont pas semblables. La taille, la texture et la couleur des feuilles sont variables suivant les endroits où elle croît et suivant les saisons. Les fruits varient aussi quant à la couleur et suivant la saison. Au début, les fruits sont d'un jaune verdâtre; ils blanchissent ensuite pour devenir plus foncés à la fin de la saison estivale. L'irritation épidermique se manifeste à la suite du contact de la peau avec une des parties de la plante qui produit une substance toxique d'aspect huileux et jaunâtre. Si vous avez touché à la plante, lavez-vous

Herbe à la puce

Planche 9
L'Herbe à la puce

1- forme grimpante
de l'Herbe à la puce

2- fruits

3- feuille composée
de 3 folioles

immédiatement au savon et à l'eau. Certains produits à base de calamine sont très efficaces pour traiter les cas bénins; dans les cas plus graves, consultez aussitôt le médecin. Certaines personnes affirment qu'en se frictionnant avec les feuilles et les tiges de l'impatiente pâle, ou du Cap, on parvient à inhiber l'action toxique de l'Herbe à la puce.

Après la destruction de l'Herbe à la puce, en quelque endroit que ce soit, il faut nettoyer tout le matériel utilisé. Avant de procéder à cette opération, les personnes doivent enfiler des vêtements protecteurs.

Les herbicides ou phytocides suivants sont recommandés : Killex 160, Amitrole-50W (Cytrol), Ammate-X, 2, 4-D amine, Silvaprop (Difenoprop), Roundub, Dycleer 24. Il va de soi qu'il en existe d'autres sur le marché que nous n'avons pas mentionnés ici.

LA NATURE DU SOL ET SON IMPORTANCE

Il est difficile de déceler des anomalies sur les racines des arbres. Cependant la chute prématurée des feuilles, des aiguilles, des fleurs ou des fruits, la coloration anormale des feuilles ou des aiguilles, la présence de feuilles flétries, de branches mortes ou affaiblies, etc., peuvent trahir l'existence de certaines maladies du système racinaire. Voilà pourquoi il est important de bien connaître la texture du sol, c'est-à-dire «la proportion de débris de roches et de minéraux de différentes grosseurs qui constituent sa matière minérale». Il faut aussi vérifier s'il est riche en éléments minéraux, s'il ne contient pas de parasites indésirables, s'il n'y a pas trop de rétention d'eau et s'il s'égoutte bien ou, inversement, s'il n'est pas trop sec et s'il manque de matières organiques, etc. Si ces conditions ne sont pas respectées, il vous faudra affronter quelques problèmes. L'analyse des composantes du sol et de sa richesse en éléments minéraux se révèle utile. Vous devez également connaître le taux d'acidité ou d'alcalinité du sol (pH).

Texture et structure du sol

La texture et la structure sont des éléments très importants lorsqu'on désire planter des arbres ou des arbustes. Nous avons vu plus haut que la texture d'un sol est la proportion de débris de roches et de minéraux de grosseurs variables qui constituent sa matière minérale. Par ailleurs, la structure d'un sol est «l'arrangement des particules simples ou complexes qui déterminent la grandeur des pores du sol et par conséquent la facilité avec laquelle l'eau et l'air peuvent circuler, de même que sa capacité d'emmagasiner l'eau». Une trop forte rétention d'eau peut causer l'asphyxie des racines et favoriser l'implantation et le développement de certains champignons pathogènes. Un sol normal doit contenir une proportion adéquate d'éléments gazeux, de matières organiques et de minéraux. Les flétrissures, le ramollissement ou le dessèchement des tissus de la plante peuvent être des signes manifestes d'une rétention d'eau exagérée ou d'un égouttement excessif du sol. S'il y a trop forte rétention d'eau, il faut apporter au sol une certaine proportion de débris minéraux; s'il s'agit d'un égouttement excessif, on doit y incorporer de la matière organique, tels des engrais naturels ou de la tourbe. Un autre facteur peut influencer la croissance des plantes : le pH, c'est-à-dire le taux d'acidité ou d'alcalinité d'un sol. Certains arbres ou arbustes s'accomodent de sols acides, mais d'autres exigent des sols alcalins ou proches de la neutralité. Le taux d'acidité ou d'alcalinité s'exprime par les chiffres compris entre zéro et 14, la neutralité étant représentée par 7.

Arbre affecté par une trop grande rétention d'eau.

Tableau 2 – **LES SOLS ET LEUR pH**	
TYPES DE SOL	**PH**
Sol très fortement acide	3,5 à 4,4
Sol fortement acide	4,5 à 5,4
Sol modérément acide	5,5 à 6,1
Sol légèrement acide	6,2 à 6,7
Sol neutre	6,8 à 7,2
Sol faiblement alcalin	7,3 à 8,0
Sol modérément alcalin	8,1 à 9,0
Sol fortement alcalin	9,1 ou plus

Il va de soi que les sols dont le pH s'échelonne entre 6,8 et 7,2 sont classés comme neutres. L'Épinette noire et le Mélèze laricin se contentent de sols allant de modérément acides à légèrement acides. L'Érable, pour sa part, croît généralement en sol alcalin. Il n'est cependant pas facile pour un amateur de déterminer quels sont les texture, structure et pH d'un sol; toutefois certains laboratoires spécialisés peuvent, après analyse des composantes du sol, faire des recommandations sur les modifications à y apporter et sur les différents *fertilisants* à utiliser.

Humidité

En période de sécheresse, pour maintenir constant le niveau d'humidité du sol, des arrosages répétés et quotidiens sont nécessaires. Il est préférable d'arroser à la fin de la journée ou très tôt le matin. On ne doit pas le faire au cœur d'une journée ensoleillée pour éviter d'endommager le feuillage. Le diagnostic d'une *carence* en eau du sol est simple. Les premiers signes se manifestent par le ramollissement des tissus vasculaires des feuilles, puis des tiges juvéniles (nouvelles pousses).

Carence minérale sur un Érable à épi révélée par le jaunissement des feuilles

Carence minérale sur une Épinette blanche révélée par le jaunissement des aiguilles

Carence et toxicité minérales

La pauvreté en substances minérales d'un sol affecte la croissance des arbres et des arbustes. Les principaux signes d'une déficience en éléments minéraux apparaissent sur la plante qui, bien entendu, réagira par des symptômes caractérisés. Cependant, il est très difficile de déterminer visuellement à quel type de carence minérale on a affaire. L'analyse complète du sol par un laboratoire est le meilleur moyen de le savoir. Néanmoins, l'application de certains fertilisants comme les engrais organiques ou chimiques peut prévenir ces carences. La quantité d'engrais à utiliser dépendra des besoins du sol. Il est très important de suivre à la lettre les recommandations des fabricants d'engrais chimiques, car l'application d'une trop grande quantité de ces produits aurait pour conséquence de provoquer l'action contraire, c'est-à-dire la *toxicité* minérale.

Le dépôt de certains produits peut entraîner des carences et des intoxications pour la végétation

Engrais chimiques et naturels

Les engrais ou fertilisants sont des substances organiques ou chimiques qui servent à enrichir un sol pauvre en éléments minéraux. On trouve dans le commerce des engrais dont la proportion de composants chimiques est indiquée par trois chiffres qui signalent les pourcentages respectifs d'azote (N) soluble dans l'eau, d'acide phosphorique (P) assimilable et de potasse (K) soluble dans l'eau. Par exemple, un engrais dont l'emballage mentionne les chiffres 6-8-4 contient 6% d'azote soluble, 8% d'acide phosphorique assimilable et 4% de potasse soluble dans l'eau.

Tableau 3 – QUELQUES ENGRAIS ET LEUR ACTION SUR LE pH

Engrais acidifiants

Sulfates d'ammoniaque : 20% N
Sulfates de potassium : 50% K_2O
Chlorures de potassium : 60% K_2O
Nitrates d'ammoniaque : 33% N
Phosphates d'ammonium ou
sels d'ammonium
Soufre
Urée

Engrais alcalinisants

Cyanamide
Phosphates Thomas
Phosphates bicalciques
Nitrates de sodium

Nitrates de calcium

Engrais neutres

Engrais potassiques

Superphosphates : 20% de P_2O_5 ou 48% de P_2O_5
Phosphates naturels

Engrais naturels : Fumier de cheval, de vache, de porc et de mouton

---

LE CHOIX DES ESPÈCES D'ARBRES ET D'ARBUSTES ET LES ZONES DE RUSTICITÉ AU CANADA.

Dans le but d'aider les horticulteurs amateurs à faire un choix judicieux d'arbres ou d'arbustes ornementaux, nous leur soumettons un tableau des principales essences assorti de renseignements sur l'habitat qui est favorable à leur développement. Cette liste regroupe des essences qui appartiennent à des zones de *rusticité* (voir carte, p. 204) reliées aux différents climats de l'Amérique du Nord. La plupart des arbres mentionnés croissent dans les zones cotées de 1 à 7. La liste fournit également le nom français de l'essence, la zone de rusticité, le type de sol ou station, la rapidité de croissance, le type d'exposition par rapport au soleil ou à l'ombre et les types de maladies possibles. Pour connaître le nom scientifique de l'essence citée, reportez-vous à la fin de cet ouvrage.

		Tableau 4 – **LES ESSENC**	
FEUILLUS	**Zones de rusticité**	**Croissance L-M-R ***	**Types de sol**
1 Amélanchiers	3 à 6	M à R	varié
2 Aubépines	2 à 7	M à R	varié
3 Aulne rugueux ou Aulne blanc	1	R	humide
4 Bouton d'Arc	6	M	humide
5 Bouleau blanc Bouleau gris Bouleau jaune Bouleau noir Bouleau pleureur	2 3 3 3 2	R R R R R	sablonneux sablonneux humide et riche sablonneux sablonneux et humide
6 Caragans	2 à 6	R	varié
7 Caryer à noix amères Caryer lacinié Caryer ovale Caryer tomenteux	3 5 4 5	L L L L	humide et bien drainé humide, limoneux, riche bien drainé humide et bien drainé humide, riche et bien drai
8 Catalpa commun Catalpa de l'Ouest	5 5	M M	humide, acide humide, acide
9 Cerisier de Pennsylvanie Cerisier de Virginie Cerisier tardif	1 2 3	R R M	sablonneux et humide humide et argileux humide et riche

* LENTE, MOYENNE, RAPIDE

xposition -P-S*	Types de maladies possibles
- P et S	Enroulure noire, pourriture noire, brûlure des rameaux, entomosporiose, rouille, pourriture sclérotique, tache foliaire, blanc, chancre cytosporéen, brûlure bactérienne.
- P et S	Moisissure grise, tache cercoseptorienne, entomosporiose, rouille, blanc, pourriture sclérotique, mosaïque et brûlure bactérienne.
- P et S	Carie, chancre, dépérissement, pourridié, tache des feuilles, rouille des feuilles, blanc, cloque des feuilles et des chatons, anthracnose, brûlure des feuilles, plomb, brûlure des rameaux.
	Tache des feuilles, rouille, brûlure des feuilles.
- P	Pourridié, plomb, tache des feuilles, carie, brûlure des rameaux, chancre, rouille des feuilles, blanc, anthracnose, dépérissement, cloque des feuilles, balai de sorcière et chancre godronien.
- P et S	Pourridié fusarien, tache, carie et dépérissement.
- P et S - P - P	Tache des feuilles, carie, anthracnose et moisissure blanche.
	Mildiou, tache des feuilles, carie, brûlure des rameaux, flétrissure verticillienne, pourridié.
- P	Nodule noir, criblure, chancre, carie, dépérissement, blanc, cloque-balai de sorcière, rouille des feuilles, cloque des feuilles et pochette.

* OMBRE, PÉNOMBRE, SOLEIL

Tableau 4 (suite) – **LES ESSENCES**

FEUILLUS	Zones de rusticité	Croissance	Types de sol
10 Charme	4	L	humide et riche
11 Châtaignier cultivé	6	L	humide et bien drainé
Châtaignier d'Amérique	6	L	sableux et graveleux et riche
Châtaignier japonais	6	L	humide et bien drainé
12 Chêne à gros glands	3	L	humide et riche
Chêne bicolore	4	L	humide et riche
Chêne blanc	4	L	humide et riche
Chêne boréal	3	L	sablonneux
Chêne des marais	5	L	humide, limoneux et bien drainé
Chêne jaune	5	L	sec, rocailleux et calcaire sableux et graveleux
Chêne noir	5	L	humide et bien drainé
Chêne rouge	3	L	
13 Chèvrefeuille de Tartarie	2	R	humide et bien drainé
Chèvrefeuilles (plusieurs espèces indigènes et exotiques)	variable	variable	variable
14 Copalme d'Amérique	5	M	sec, acide et humide
15 Cornouiller à feuilles alternes	3	R	variable
Cornouiller blanc	2	R	variable

HABITATS ET MALADIES

xposition	Types de maladies possibles
) - P et S	Tache des feuilles, carie, brûlure des rameaux et verdissure de l'écorce.
) - P et S) - P) - P et S	Brûlure du Châtaignier.
) - P) - P) - P) - P) - P ; ;) - P et S	Brûlure des pousses, chancre, dépérissement, carie, anthracnose, tache des feuilles, pourridié-agaric, blanc, cloque des feuilles, ondulation des rameaux.
) - P) - P à S	Brûlure des feuilles et des rameaux, moisissure grise, tache des feuilles, blanc et verticillose.
;	Gommose et résinose, tache des feuilles, dépérissement.
; ;	Brûlure des feuilles, blanc, brûlure sclérotique, pourriture du collet, rouille, tache septorienne et mosaïque. (Pour le Cornouiller de Nuttall (*Cornus nuttallii*), il faut ajouter le chancre sclérophoméen).

Tableau 4 (suite) – **LES ESSENCES**

FEUILLUS	Zones de rusticité	Croissance	Types de sol
16 Érable argenté	2	R	humide
Érable à sucre	3	M	humide et bien drainé
Érable de Pennsylvanie	3	R	humide et bien drainé
Érable ginnala	2	M	sablonneux
Érable negundo	2	R	variable
Érable rouge	3	M	humide
17 Févier épineux	5	M	humide
18 Figuier nain	5	M	humide
19 Frêne bleu	5	M	humide et bien drainé
Frêne d'Amérique	2	M	humide et bien drainé
Frêne de Pennsylvanie	2	M	humide et bien drainé
Frêne noir	5	M	humide et bien drainé
20 Gros févier ou Chicot du Canada	5	M	humide et drainé
21 Hêtre à grandes feuilles Hêtre pourpre	4	L	calcaire et humide
	6	M	humide et bien drainé
22 Hamamélis de Virginie	3	R	humide
23 Lilas	2-6	M à R	varié
24 Marronnier d'Inde	4	M	humide et riche
Marronnier glabre	3	L	humide et riche
25 Magnolia à feuilles acuminées	5	M	humide, riche et bien drainé

HABITATS ET MALADIES

xposition	Types de maladies possibles
))) - P et S) - P et S	Tache des feuilles, chancre nectrien, chancre eutypellien, dépérissement nectrien, carie, pourridié, blanc, brûlure des rameaux, rougissure, mosaïque, anthracnose, flétrissure, cloque des feuilles, tumeur, brûlure des feuilles.
	Dépérissement camarosporéen et chancre cucurbitarien.
	Anthracnose, brûlure des rameaux, chancre, moisissure grise, tache des feuilles.
) - P et S) - P et S) - P et S) - P et S	Pourridié-agaric, tache des feuilles, carie, anthracnose, rouille des feuilles, fonte des semis, rougissure du cœur, dépérissement, blanc.
	Tache des feuilles et carie.
) - P et S	Pourridié-agaric, plomb, chancre, carie, anthracnose, moisissure brune, verdissure de l'écorce, blanc, tache des feuilles, maladie corticale du hêtre, rougissure du cœur, marbrure annulaire et l'épifage de Virginie (plante parasite des racines).
) - P et S	Tache des feuilles.
) - P et S	Tache des feuilles, moisissure grise, blanc, brûlure des pousses, tumeur du collet, brûlure bactérienne, mosaïque et dépérissement.
	Tache des feuilles, carie, chancre, brûlure des feuilles, dépérissement et blanc.
) - P	Flétrissure verticillienne, brûlure des feuilles, tache des feuilles, dépérissement, chancre nectrien, carie.

Tableau 4 (suite) – **LES ESSENCES**

FEUILLUS	Zones de rusticité	Croissance	Types de sol
26 Mûrier blanc	5	M	humide
Mûrier rouge	5	M	humide
27 Noyer cendré	3	L	humide et riche
Noyer cordiforme	4	L	humide et riche
28 Nyssa ou Gommier noir	5	L	humide et bien drainé
29 Olivier de Bohême	2	M	varié
30 Orme à grappe ou liège	3	M	graveleux-calcaire
Orme d'Amérique	2	M	graveleux-calcaire
Orme de Chine	3	M	humide et bien drainé
Orme de Sibérie	2	M	sablonneux
31 Orme bâtard	5	M	humide
32 Ostryer de Virginie	3	L	humide
33 Peuplier à grandes dents	2	R	acide
Peuplier blanc ou argenté	4	R	humide et bien drainé
Peuplier baumier	1	R	humide
Peuplier deltoïde	3	R	humide
Peuplier d'Italie ou de Lombardie	3	R	varié
Peuplier faux-tremble	1	R	varié
34 Phellodendron de l'amour	5	R	humide
35 Plaqueminier de Virginie	5	M	sablonneux, humide et bien drainé
36 Platane d'Occident	5	R	humide et riche
Platane d'Orient	5	R	humide et riche

HABITATS ET MALADIES

xposition	Types de maladies possibles
- P et S - P et S	Dépérissement fusarien et chancre bactérien.
- P - P	Carie, tache des feuilles, dépérissement, moisissure blanche, blanc, rougissure du cœur, chancre, tumeur du collet, brûlure bactérienne.
- P et S	Chancre, tache des feuilles, rouille.
	Tache des feuilles, rouille des carex.
	Tache des feuilles, pourridié, maladie hollandaise de l'Orme, carie, chancre, dépérissement nectrien, cloque des feuilles, flétrissure, brûlure des rameaux.
	Mildiou, balai de sorcière, tache des feuilles, carie.
	Chancre aleurodisquéen, tache des feuilles, cloque des feuilles, blanc, carie blanche du tronc.
- P et S - P et S	Rouille des feuilles, tumeur des branches, tache des feuilles, brûlure des pousses, chancre hypoxylonien, chancre cératocystien,, blanc, pourridié-agaric, carie, dépérissement, brûlure des feuilles, mosaïque, cloque des chatons et des feuilles, plomb et tumeur du collet.
	Tache des feuilles (très résistant aux maladies).
	Flétrissure céphalosporéenne, dépérissement, brûlure des rameaux, pourridié.
	Anthracnose.

Tableau 4 (suite) – **LES ESSENCES**

FEUILLUS	Zones de rusticité	Croissance	Types de sol
37 Pommetier de Sibérie	2	R	riche et humide
Pommetiers	2	M à R	riche et humide
38 Pommier nain	3	M	riche et humide
Pommiers	3	M à R	riche et humide
39 Prunier noir	5	M	alluvial et calcaire
40 Robinier faux-acacia	4	R	alcalin
41 Rosier aciculaire	1	R	acide et sablonneux
Rosier inerme	2	R	calcaire et sec
Rosier rugueux	2	R	humide et drainé et même varié
42 Sassafras officinal	5	M	riche, limoneux ou sablonneux
43 Saule blanc	2	R	humide
Saule à feuilles de pêcher	2	R	humide
Saule de Babylone ou Saule pleureur	4	R	humide
Saule fragile	3	R	humide
Saule laurier	2	R	humide
Saule noir	2	R	humide

xposition	Types de maladies possibles
	Tache des feuilles, tavelure, rouille, carie, brûlure des rameaux, blanc, brûlure bactérienne, dépérissement.
	Alternariose, pourridié, pourriture, tavelure, moisissure, plomb, anthracnose, chancre, tache des fruits et des feuilles, carie, dépérissement, moucheture, brûlure, phyllostictose, blanc, tumeur du collet, coulure bactérienne, lésion des racines, bois-caoutchouc, bois strié, nécrose, fruit atrophié, fausse piqûre, fruit nain, fruit pommelé, mosaïque, plastomanie, roussissure annulaire, fronçure des feuilles et brûlure bactérienne.
- P et S	Alternariose, pourriture, carie, moisissure, tavelure, criblure, chancre, plomb, brûlure, pochette, rouille, dépérissement, flétrissure, tumeur du collet, tache, lésion des racines, brûlure bactérienne, nanisme, jaunisse, petite prune, mosaïque nervale, virose masquée, panaclure, dépérissement, chlorose, pyrolyse, petite feuille et rosette.
	Chancre cucurbitarien, carie jaune spongieuse, dépérissement nectrien.
	Tache, moisissure grise, chancre, dépérissement, mildiou, rouille, anthracnose, blanc, verticillose, tumeur, lésion des racines, bigarrure, flétrissure, mosaïque, ligne en arabesque, gaufrure et chlorose.
	Chancre, taches des feuilles, mildiou, pourridié.
) - P	Chancre, dépérissement, tache des feuilles, brûlure du saule, tumeur du collet, rouille des feuilles, blanc, brûlure des rameaux, carie, anthracnose, brûlure des feuilles.
) - P) - P et S	

Tableau 4 (suite) – **LES ESSENCES**

FEUILLUS	Zones de rusticité	Croissance	Types de sol
44 Savonnier	6	M	humide et alcalin
45 Sophora du Japon	6	M	humide
46 Sorbier d'Amérique	1	R	sablonneux
Sorbier des oiseleurs	2	R	humide
Sorbier plaisant	2	R	sec ou humide
47 Sureau pubescent	2	R	humide
48 Tilleul à petites feuilles	3	M	humide et riche
Tilleul argenté	3	M	humide et fertile
Tilleul d'Amérique	3	M	humide et fertile
49 Tulipier de Chine	6	M	humide et bien drainé
Tulipier de Virginie	4	M	humide et bien drainé
50 Vinaigrier ou Sumac argenté	3	R	sec, graveleux ou sableux
51 Viorne à feuilles d'aulne	3	R	humide et bien drainé
Viorne cassinoïde	2	R	humide et bien drainé
Viorne lentago	2	R	humide et bien drainé
Viorne trilobé	2	R	humide et bien drainé
52 Virgilier	6	L	riche et bien drainé

xposition	Types de maladies possibles
	Brûlure des pousses (gel) et flétrissure verticillienne.
	Flétrissure verticillienne, chancre fusarien, fonte des semis, brûlure de la tige, mildiou, pourridié.
D - P et S	Dépérissement, carie, rouille des feuilles, chancre, brûlure bactérienne, tache des feuilles, pourridié-agaric.
	Tache ascochytique, pourridié, blanc, tache septorienne, décoloration.
D - P	Tache des feuilles, carie, chancre, dépérissement, blanc, anthracnose.
D - P et S	Tache goudronneuse et flétrissure verticillienne.
	Chancre godronien.
D - P D - P D - P D - P	Tache, moisissure grise, rouille, blanc, mildiou, verticillose.
	Flétrissure verticillienne, mildiou et carie.

Tableau 4 (suite) – **LES ESSENCES**

CONIFÈRES	Zones de rusticité	Croissance	Types de sol
1 Cyprès chauve	7	R	variable
2 Épinette blanche	1	M	sec ou peu humide
Épinette bleue	2	L	humide
Épinette d'Engelmann	3	M	humide, limoneux
Épinette de Norvège	2	M	sec ou humide
Épinette noire	1	L	humide
Épinette rouge	2	L	humide
3 Genévrier commun	2	M	rocailleux et moyen
Genévrier de Virginie	3	M	moyen
Genévrier horizontal	2	M	variable
Genévrier sabine	2	M	variable
4 Ginkgo	3	R	variable
5 If d'Europe	6	L	moyen
If du Canada	2	L	humide
If japonais	4	L	humide
6 Mélèze d'Europe	3	M	sec ou humide
Mélèze de Sibérie	3	R	sec ou humide
Mélèze du Japon	3	R	sec ou humide
Mélèze laricin	1	R	humide
7 Pin blanc	2	M	moyen et bien drainé
Pin gris	1	R	sablonneux
Pin mugo	1	M	sec ou humide
Pin rigide	5	M	sablonneux et rocailleux
Pin rouge	2	M	moyen
Pin sylvestre	2	R	argileux
8 Pruche du Canada	4	L	humide et riche
9 Sapin baumier	1	M	humide
10 Sapin de Douglas ou Douglas taxifolié	3	R	humide
11 Thuya occidental	2	M	humide

HABITATS ET MALADIES

Exposition	Types de maladies possibles
S	Brûlure des rameaux, tache des aiguilles et des cônes, carie.
S S S S O - P et S S	Pourridié-agaric, rouille, balai de sorcière, chancre, rouge, brûlure des aiguilles et des pousses, brûlure printanière, rouille des aiguilles, carie, moisissure, dépérissement, fonte des semis, rouille des cônes, brûlure des rameaux, nécrose, maladie du rond et faux-gui.
O - P et S O - P et S O - P et S O - P et S	Rouille-tumeur, rouille des aiguilles, rouille, balai de sorcière, rouge et brûlure des pousses et des rameaux.
S	Tache des feuilles et quelques caries.
O - P O - P O - P	Brûlure des aiguilles.
S S S S	Moisissure, chancre, brûlure des pousses et des aiguilles, pourridié-agaric, carie, rouge, rouille des aiguilles, dépérissement, faux-gui et maladie du rond.
S S S O - P et S S S	Pourridié-agaric, chancre, carie, fonte des semis, rouge, rouille-tumeur, maladie du rond, brûlure des pousses, tumeurs, rouille des aiguilles, rouille vésiculeuse du pin blanc, dépérissement, brûlure printanière et faux-gui.
O	Pourridié-agaric, carie, chancre, brûlure des aiguilles, rouille des aiguilles, rouge, dépérissement et faux-gui.
O - P et S	Pourridié-agaric, carie, chancre, rouille, balai de sorcière, rouille des aiguilles, rouge, maladie du rond, brûlure des pousses et des rameaux et faux-gui.
O - P et S	Chancre, pourridié, rouge, plomb, carie, nécrose des bourgeons, fonte des semis, dépérissement, brûlure des aiguilles et des rameaux, tumeur bactérienne et faux-gui.
O et O - P	Pourridié-agaric, carie, brûlure des aiguilles, tache des aiguilles, brûlure printanière et maladie du rond.

LA PLANTATION

Lors de l'achat d'arbres ou d'arbustes, vérifiez s'ils sont sains en examinant attentivement l'écorce du tronc ou des tiges, les branches, les bourgeons et aussi les racines si cela est possible.

La plantation de plants à racines nues se fait soit au printemps avant l'ouverture des bourgeons, lorsque le sol est dégelé, soit en automne lorsque les feuilles sont toutes ou presque toutes tombées et avant que le sol ne gèle.

Évitez d'exposer les racines à l'air libre ou au soleil et les branches au vent pendant le transport. Il est préférable de déménager les plants dans des récipients ou du moins de les recouvrir de mousse humide ou l'équivalent et de couvrir les arbres d'une toile pour prévenir le dessèchement du feuillage (dessiccation).

Arrivé au lieu de plantation, vous devez aussitôt les mettre en jauge, c'est-à-dire les placer provisoirement dans une petite tranchée creusée à la bêche, ou couvrir les racines de mousse de tourbe bien humide et déposer les plants dans un endroit abrité du vent ou du soleil.

Ne plantez jamais d'arbres sous les lignes de transmission électrique, trop près des fondations, dans des sols trop humides ou trop ombragés.

Au moment de la transplantation, enlevez si nécessaire les racines et les branches superflues ou en mauvais état.

Brisez ou ôtez le récipient afin de pouvoir étaler les racines et éviter qu'elles ne s'agglomèrent dans le sol. Vous pourrez à ce moment vérifier l'état du système racinaire.

La profondeur du trou à creuser dépend de la longueur des racines situées au-dessous du collet et du mélange de sol dont vous vous servirez pour le remplissage. Généralement, le trou doit être de 15 cm plus profond et plus large de 30 cm que le système racinaire.

Ne mettez pas de terre au-dessus du collet de l'arbre. Il est souhaitable de laisser une légère dépression dans le sol autour de l'arbre afin de retenir l'eau plus facilement.

En période de sécheresse, arrosez régulièrement les arbres et arbustes.

Si le sol est pauvre ou mal drainé, ajoutez des engrais ou des matières organiques et ameublissez-le afin d'en améliorer le drainage, autrement dit l'écoulement de l'eau qui s'y trouve en excès.

Lors du remplissage, arrosez et tassez fermement la terre pour éliminer les poches d'air.

Après la plantation, il est bon de débarrasser le plant de quelques branches en commençant par les branches mortes, nuisibles ou inutiles, sans toutefois enlever les branches maîtresses.

Toujours après la plantation, vous pouvez ajouter un *tuteur* ou deux selon les besoins. Un tuteur est une armature de bois ou de métal, fixée dans le sol pour soutenir ou redresser des plantes. Ce faisant, vous devrez tenir compte des vents dominants, de la forme de l'arbre et de sa fragilité.

Les arbustes se plantent de la même manière que les arbres. Vous devez cependant calculer l'espacement ou la distance en fonction de la grosseur que les plants auront à maturité.

Lors de la transplantation, autrement dit lorsque vous replantez un arbre ou une plante qui poussait déjà en un autre lieu, vous devez raccourcir les branches de 1/3 à 1/2 de leur longueur. La tranchée peut avoir de 30 à 45 cm de largeur et de profondeur si vous voulez obtenir une haie. Ces conseils ne sont que très approximatifs.

HAUTEUR	ESPACEMENT REQUIS
20-45 cm	15-25 cm
40-60 cm	25-30 cm
60-120 cm	30-38 cm
120 cm et plus	38-45 cm

Planche 10a
La plantation

1- récipient qui contient le système racinaire de l'arbre et prévient ainsi l'assèchement des racines

2- sac de fertilisant ou de tourbe

3- boyau d'arrosage

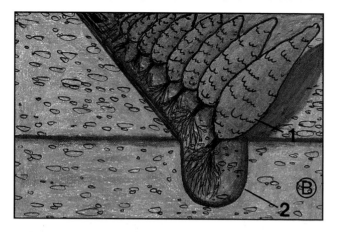

**Planche 11
en bas**

1- mauvaise façon de fixer un tuteur à l'arbre : il y a risque de blessures

2- mauvaise façon de planter un arbre : il faut le sortir du récipient et étendre les racines

3- il faut libérer les racines des sacs qui les contiennent

4- lors de la plantation, ne jamais laisser les racines agglomérées, mais les étendre

5- le tuteurage est nécessaire dans plusieurs cas

6- deux types d'attaches servant à tuteurer

7- mauvais tuteurage : il cause l'étranglement de l'arbre

8- la taille en oblique est préférable lors du dégagement des branches

9- sol ameubli et bien drainé nécessaire à la bonne croissance de l'arbre

10- ne jamais mettre de la terre au-dessus du collet de l'arbre : il y a risque de pourriture

11- arroser généreusement après la transplantation

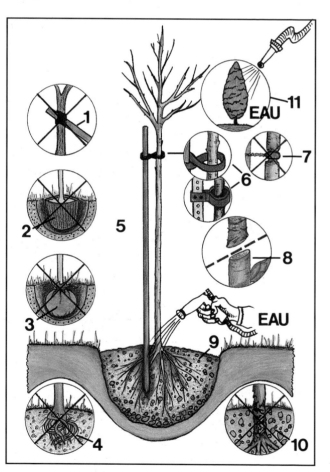

À gauche

Agglomération exagérée des racines dans un récipient par rapport à la grosseur le l'arbre

Ci-contre

Lors de la transplantation, il faut laisser une légère dépression autour de l'arbre pour retenir l'eau de pluie

Les tuteurs

Le tuteur sert à renforcer le jeune arbre après la plantation; il doit donc être solidement fixé au sol. L'attache qui retient l'arbre au tuteur ne doit pas être trop serrée pour ne pas l'étouffer au cours de la croissance. Il faut en outre insérer un morceau de tissu ou une bande de caoutchouc en guise de coussinet entre l'attache et l'écorce de l'arbre. Cela sert à éviter toute friction qui pourrait blesser l'écorce de la tige. Il faut enfin enlever le tuteur lorsque l'arbre est suffisamment fort pour se supporter lui-même.

À gauche

Si l'arbre est fragile, il faut le renforcer par un tuteur.

À droite

Mauvaise plantation : les racines ont été exposées trop longtemps au vent et au soleil.

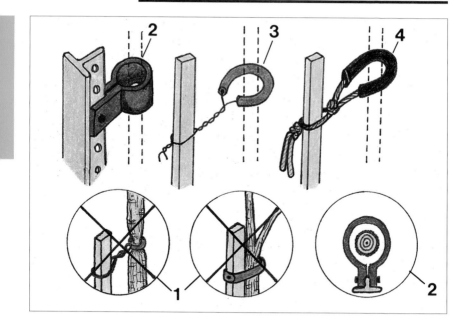

**Planche 12
Les tuteurs : 3 types d'attaches**

1- une attache trop serrée étrangle la tige

2- attache suffisamment lâche, mais pas trop, afin de prévenir toute blessure de l'écorce de la tige : attache avec fil métallique

3- attache suffisamment lâche, mais pas trop, afin de prévenir toute blessure de l'écorce de la tige : attache avec corde

À droite

Autre type d'attache de plastique : à déconseiller; elle risque à la longue d'étouffer l'arbre

En haut, à gauche

Tuteur de métal et attache de plastique (à conseiller)

En haut, à droite

Effet de l'étranglement d'une tige avec une attache trop serrée.

Ci-contre

Dépérissement de la tige au-dessus de l'étranglement

NOTIONS DE PHYTOPATHOLOGIE

PRINCIPAUX AGENTS PATHOGÈNES
En botanique, un phytopathogène est un organisme qui peut causer une maladie.

Les principaux agents pathogènes dont il est question dans cet ouvrage sont soit connus soit inconnus des horticulteurs amateurs suivant les types de maladies affectant les arbres. Nous donnons donc ci-dessous une brève description des quatre goupes principaux qui provoquent les maladies parasitaires des arbres et des plantes en général.

Nématodes
Ce sont des vers allongés de longueur variable ou microscopiques que l'on trouve généralement dans des organismes vivants et qui sont, pour la plupart, des parasites. Ces nématodes sont très petits et causent des dommages considérables aux semis en pépinières.

Bactéries
Les bactéries sont des organismes vivants microscopiques, en quelque sorte des plantes unicellulaires sans chlorophylle. Quelques-unes causent des dommages aux arbres sans toutefois constituer le groupe d'agents pathogènes le plus important. Nous traiterons plus loin de quelques maladies transmises aux arbres et arbustes par des bactéries.

Virus
Moins connus que les autres parasites, ils causent cependant des dommages importants aux plantes agricoles et ils affectent certains arbres et arbustes ornementaux et forestiers. On connaît d'autant moins l'effet des virus sur

les plantes ligneuses qu'on sait encore peu de chose sur eux. Les virus n'ont pas de véritable structure cellulaire, ce sont des nucléoprotéines; celles-ci proviennent de l'association d'une protéine et d'un acide nucléique.

Champignons

De tous les organismes qui vivent en parasites sur les végétaux, les champignons sont les plus nombreux. Suivant leur mode de fructification, ils sont microscopiques (visibles uniquement au microscope) ou macroscopiques (visibles à l'œil nu). Les champignons sont des thallophytes, c'est-à-dire des plantes sans feuilles, tiges ni racines. Ils sont privés de chlorophylle et ils se reproduisent au moyen de *spores*. Il en existe près de 100 000 espèces qui regroupent les champignons *saprophytes* et les champignons parasites. Les saprophytes vivent sur et se nourissent de la matière organique morte. Les parasites vivent au dépens de matières organiques vivantes et sont donc nuisibles. Par ailleurs, beaucoup de champignons rendent de grands services à la nature. Songeons aux champignons qui maintiennent le pouvoir de fertilité d'un sol en décomposant la matière organique animale ou végétale. D'autres jouent un rôle essentiel dans la transformation de plusieurs produits alimentaires, comme c'est le cas pour les levures dans la fabrication du pain et de la bière (pour le fromage ce n'est pas une levure mais bien la pénicilline).

Lichens

Certains, cependant, suscitent des maladies plus ou moins graves chez les animaux et les plantes. C'est de ces champignons et de leurs méfaits dont nous ferons mention.

On aperçoit parfois sur les arbres des masses végétales qui sont très souvent prises pour des champignons. C'est en partie exact; ces masses proviennent de l'association d'une algue et d'un champignon et se servent de l'arbre comme support. On les nomme lichens et leurs couleurs comme leurs formes varient d'après l'espèce. Ces végétaux *épiphytes* ne nuisent nullement à la croissance et au développement des arbres. Néanmoins, certains arboriculteurs les enlèvent sans raison valable.

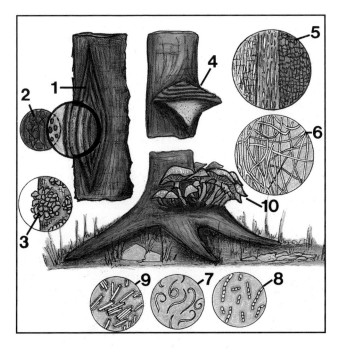

Planche 13
Agents pathogènes et végétal épiphyte

1- plaie et *chancre*

2- fructifications de champignons parasites

3- lichens

4- *carpophore* de champignon; en exemple le *polypore*

5- bois pourri ou carié révélant 3 types de texture

6- filaments (hyphes) du *mycélium* du champignon

7- nématodes (petits vers microscopiques)

8- bactéries

9- virus

10- carpophores ou chapeau des champignons supérieurs

Parties principales d'un champignon

Avant de poursuivre l'exploration de la pathologie des végétaux, arrêtons-nous à examiner les organes d'un champignon supérieur, comme l'Armillaire couleur de miel, et leur action sur le végétal hôte, c'est-à-dire sur l'arbre ou l'arbuste qui sert de support à ce champignon responsable de la maladie du pourridié-agaric. Le *pourridié-agaric* affecte principalement la base et les racines des arbres, tant les conifères que les feuillus. Nous savons aujourd'hui qu'il existe plusieurs espèces d'Armillaires qui causent des problèmes aux racines d'un grand nombre d'espèces d'arbres. Le support ou hôte est généralement un arbre ou une section d'arbre blessé en proie au parasitisme, autrement dit l'association de deux organismes vivants dont l'un vit aux dépens de l'autre sans cependant le faire mourir rapidement. Lorsque les spores du champignon, disséminés par l'eau, les insectes, le vent ou un autre facteur, entrent en contact avec la partie blessée, il y a production d'un mycélium formé par l'enchevêtrement d'hyphes qui ont pour fonction de s'alimenter aux tissus vivants de l'hôte parasité. À la mort de l'arbre ou même avant, ce mycélium produit une fructification nommée carpophore qui porte un hyménium, ou partie fertile, dont le rôle est d'engendrer les spores nécessaires à la reproduction de l'espèce. Le carpophore est donc l'ensemble des parties du thalle qui portent les fructifications. Sauf pour certaines espèces parasites comme plusieurs *polypores,* le carpophore est porté par un pied.

**Planche 14
Les principales
parties d'un
champignon**

1- hôte

2- mycélium formé par les hyphes qui sont des filaments dépourvus de chlorophylle

3- pied

4- carpophore

5- spores

6- hyménium (assise de cellules reproductrices chez certains champignons)

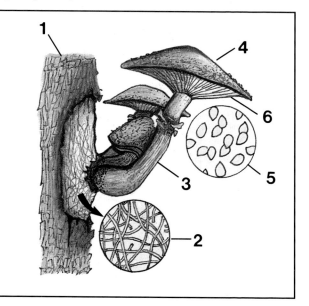

Rapport entre hôte et agent pathogène
Afin de bien comprendre les rapports qui s'établissent entre un hôte et l'agent pathogène, définissons d'abord ce qu'est

un hôte, puis voyons comment s'installe un agent pathogène et quels facteurs favorisent sa croissance et son développement.

L'organisme-hôte (arbre ou arbuste) reçoit et supporte l'agent pathogène qui est l'organisme parasite. Ce dernier cause donc une maladie plus ou moins grave tout en profitant de l'hôte qui lui fournit sa nourriture. Dans certains cas, il l'affaiblit ou même le tue, suivant la vitalité de l'hôte.

Le rapport entre l'hôte et un agent pathogène s'établit de la façon suivante. En premier lieu, il s'opère une pénétration de l'agent dans l'hôte. Cette pénétration se fait généralement par une blessure ou tout autre endroit endommagé, consécutivement à la dissémination de *spores* par l'eau, le vent, des insectes, etc. En deuxième lieu, après la pénétration, il y a *incubation* de l'agent pathogène.

En troisième lieu, si le milieu est favorable, l'implantation de l'agent pathogène se fera et les premiers *signes* et *symptômes* se manifesteront. Les spores germent ensuite et donnent naissance à des filaments primaires qui parasitent l'hôte. Enfin, lorsque celui-ci est suffisamment

Planche 15
Rapports entre l'hôte et l'agent pathogène

1- spores du champignon parasite

2- pénétration de l'agent pathogène dans une zone blessée

3- germination des spores après pénétration et incubation

4- accroissement du mycélium de l'agent pathogène

5- mycélium de l'agent pathogène

6- apparition du carpophore de l'agent pathogène (avant ou après la mort de l'arbre)

A, B, C– modes de dissémination des spores

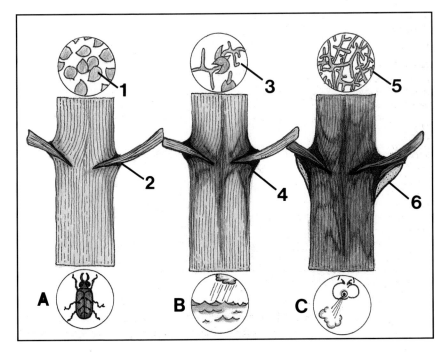

affaibli ou presque mort, les fructifications de l'agent pathogène apparaissent pour assurer la reproduction et infecter de nouveau d'autres hôtes vulnérables.

Certaines cavités sur les arbres sont causées par des champignons de carie. En botanique, la carie est un phénomène de décomposition des tissus. Les parasites responsables de la pourriture agissent au niveau des membranes cellulaires. La plupart du temps, les champignons de carie sont apparus sur des blessures, des branches cassées ou coupées trop longues sur le tronc. Ces branches sont une excellente porte d'entrée pour les agents pathogènes et très souvent l'arbre forme par réaction un cal cicatriciel, qui ne peut cicatriser suffisamment le moignon et laisse ainsi le champignon y pénétrer et s'y développer.

AUTRES TRAUMATISMES

Voici une liste de traumatismes physiologiques avec leur définition et, le cas échéant, une information supplémentaire.

Facteurs climatiques

Étiolement : état d'une plante décolorée et dépérissante.
• L'étiolement est souvent causé par un manque d'ensoleillement.

Craquelure : fendillement des tissus de l'organe d'une plante.

Brûlure : terme général qui désigne différentes maladies des végétaux lorsque celles-ci causent des lésions entraînant la mort des tissus.

Insolation : action d'exposer un végétal à la lumière solaire; son résultat.
• Les craquelures, les brûlures et l'insolation sont parfois provoquées par la chaleur excessive. L'insolation hivernale peut être alternativement causée par la chaleur et par le gel.

Gelure : maladie caractérisée par des lésions des tissus vivants produites par le froid et atteignant les extrémités des tiges ou des branches.

Gélivure : maladie caractérisée par le fendillement ou la gerçure au niveau de l'écorce des arbres à la suite de la congélation de l'eau dans les tissus.

Roulure : séparation des couches annuelles du bois des arbres sous l'effet du gel.

Cadranure : maladie des arbres qui se manifeste par l'apparition de fentes disposées en cadran et causées par le gel.

• Les gelures hivernales, les gélivures, les roulures et les cadranures sont causées par le froid excessif et affectent le tronc. Une gelée qui survient au cours de la saison d'été peut également provoquer une gelure estivale des feuilles. Un gel tardif entraîne une gelure printanière des bourgeons dite gel des bourgeons. La gelure automnale est plutôt le résultat d'un gel hâtif.

Déchaussement : effet du gel et du dégel du sol; se manifeste surtout chez les semis d'arbres.

• L'action simultanée du gel et du dégel du sol provoque le déchaussement qui a pour cause le gel des radicelles et des racines tendres.

Dessiccation : dessèchement par évaporation excessive des tissus d'une plante.

Dépérissement : mort des branches et des tiges d'un arbre ou d'une plante, survenant à partir du sommet et progressant vers le tronc ou la tige.

Fasciculation : développement anormal et exagéré du nombre de branches d'arbres comme les balais de sorcières.

Atrophie : diminution du volume d'une structure vivante (organe, tissu, cellule) par manque de nutrition, manque de soins, processus physiologique de régression, maladie, etc.

• Une sécheresse estivale provoque souvent l'évaporation excessive de l'eau contenue dans les tissus de la plante et elle entraîne de ce fait une dessiccation estivale. La dessiccation hivernale survient pour la même raison. Dans les deux cas, c'est l'insuffisance d'absorption d'eau, non disponible par manque ou gel, et l'insuffisance d'alimentation en eau des tissus qui causent ce dessèchement. La dessiccation hivernale peut, dans certains cas, entraîner le dépérissement ou, localement, provoquer des fasciculations des branches, ou encore l'atrophie de certains organes comme les feuilles.

1- coloration et flétrissure du feuillage

2- taches sur les feuilles

3- brûlures et dessèchement des pousses et des rameaux, et flétrissure des feuilles

4- ondulation et déformation des rameaux

5- présence de pustules produisant une poudre jaune orangé ou de couleur saumon sur les feuilles, les tiges ou les fruits des arbres ou arbustes

6- présence de tumeur, de chancre, ou renflement de couleur anormale, formant parfois des nodules sur les branches

7- présence d'une branche morte et trop longue dont la base est entourée d'un cal cicatriciel

8- fructification (ou carpophore) d'un champignon pathogène

9- friction de deux branches et formation de chancres à l'endroit de la friction

10- présence de petites pustules arrondies de couleurs diverses autour de ou sur la zone blessée; ces pustules sont de minuscules fructifications de champignons pathogènes qui ne sont le plus souvent décelables qu'à la loupe

11- début de chancre sur une blessure du tronc

12- les inscriptions gravées sur les arbres sont en réalité des blessures qui constituent une excellente porte d'entrée pour des champignons pathogènes

13- les blessures causées par les galeries d'insectes et par les larves qui s'y trouvent affectent les arbres et indiquent souvent l'existence d'une carie interne et favorisent la pénétration d'autres parasites

14- la présence de pics (oiseaux) révèle que des larves d'insectes perceurs affectent les tissus internes de l'arbre; certains autres insectes, comme les ichneumons, parasitent ces larves de perceurs et sont donc d'une grande utilité

15- le marquage d'un arbre à la hache est souvent plus nuisible que véritablement utile

16- les blessures infligées à l'arbre pendant la tonte d'une pelouse favorisent la pénétration d'agents pathogènes

17- il en va de même pour les rongeurs qui blessent et annellent l'écorce de la base de l'arbre

18- l'agglomération des racines dans un récipient favorise aussi le développement de champignons pathogènes

19- l'existence de fructifications ou carpophores de champignons à la base d'un arbre est presque toujours le signe d'un désordre pathologique

20- l'émondage excessif d'un arbre affecte sa croissance et son développement normal

21- étranglement causé par des attaches trop serrées sur un jeune arbre

Planche 16
Comment déceler l'existence d'une maladie?

Les principaux signes d'une maladie probable à la suite d'un traumatisme sont d'ordre : climatique (relatif au climat), édaphique (relatif au sol), mécanique (provoqué par une action mécanique), pathologique (relatif à un mauvais état de santé).

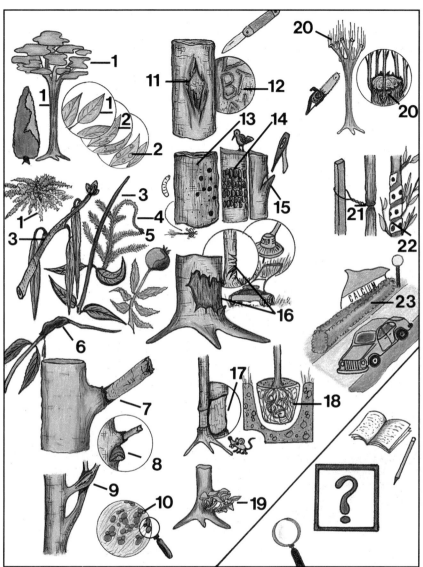

Planche 16

22- la présence de protecteurs en spirale sur la tige d'un jeune arbre tard au printemps ou en été retient l'humidité et favorise souvent le développement d'agents pathogènes sur l'écorce

23- les produits chimiques comme le «calcium» affectent les haies de conifères ainsi que d'autres espèces d'arbres plantés près des routes soumises à un déglaçage souvent excessif au cours de l'hiver

Facteurs édaphiques (relatifs au sol)

Nanisme : état de ce qui est exagérément petit.

• Le nanisme se manifeste souvent chez des plantes qui se développent dans des sols très pauvres en éléments minéraux et aussi en eau. En contrepartie, un excès d'eau entraîne souvent l'asphyxie des racines et, par conséquent, leur pourriture.

• La circulation des passants dans les parcs ou les sentiers entraîne parfois le dépérissement des arbres si les racines se trouvent mises à nu et écorcées par le piétinement du sol, d'où asphyxie des racines. Le remplissage d'un terrain peut aussi, dans certains cas, provoquer le dépérissement, lui-même conséquence de la pourriture du collet de l'arbre.

Facteurs d'origine mécanique

Chablis : arbres renversés par le vent.

• Les blessures, les bris, l'étranglement, les brûlures, les intoxications, le déracinement ou chablis, proviennent de traumatismes causés le plus souvent par les rongeurs, les substances polluantes, le vent, le verglas, la grêle, le poids de la neige, ou l'activité industrielle et mécanique des humains.

Plusieurs autres traumatismes ne peuvent être identifiés ou, du moins, connus comme étant la cause de certains dépérissements. De ce fait, il est impossible d'y apporter un remède, puisqu'ils sont provoqués par des facteurs inconnus.

COMMENT DÉCELER L'EXISTENCE D'UNE MALADIE?

Il est parfois difficile de détecter une quelconque maladie sur un arbre qui, tout au début de l'infection, peut sembler sain. Néanmoins, ce qui l'affecte est parfois imperceptible si l'infection est légère ou si elle se localise dans une zone non accessible à la vue, tels les tissus situés sous l'écorce. Toutefois certains signes permettent de juger adéquatement de l'état physiologique de l'arbre ou de l'arbuste tout en assurant un examen routinier et saisonnier de son état de santé. Le changement dans la coloration du feuillage, les flétrissures des feuilles, les carpophores de champignons, les branches mortes, etc., sont souvent les signes manifestes de l'infection d'une zone spécifique de l'arbre. C'est pourquoi il nous sembla nécessaire d'en dresser une liste qui aidera à déceler l'existence possible de maladies.

Flétrissure : symptôme qui se manifeste par un fanage plus ou moins prononcé du feuillage et même des rameaux encore verts d'une plante, résultant d'une diminution plus ou moins grande de la turgescence des tissus.

Pustule : soulèvement de l'épiderme qui peut éclater et libérer les spores de l'agent pathogène.

Tumeur : renflement ou excroissance produits sur une plante et résultant de l'attaque par un champignon ou un autre agent.

Chancre : maladie qui se manifeste par la nécrose d'une partie plus ou moins considérable du parenchyme cortical et résultant en une dépression plus ou moins prononcée et souvent délimitée par un cal.

Annelage : développement ou progression en anneau ou autour d'un organe spécifique.

Désordre : mauvais fonctionnement de la plante dû à un ou plusieurs facteurs environnants non favorables à son développement; le désordre n'est jamais causé par un organisme phytopathogène.

Émondage : action consistant à enlever les branches inutiles, nuisibles ou mortes d'un arbre ou d'un arbuste.

Enfin, il est important de noter et d'observer soigneusement tous les facteurs environnants qui pourraient nuire à la croissance et au développement des arbres avant d'apporter les solutions adéquates aux différents problèmes soulevés.

MALADIES
DE LA CIME

**PRINCIPAUX SIGNES RÉVÉLATEURS
ET THÉRAPIE**

• coloration anormale des feuilles ou des aiguilles, brusque changement de couleur du feuillage
• flétrissure et chute prématurée des feuilles ou des aiguilles
• *taches* sur les feuilles, les aiguilles et les fruits
• flétrissures et brûlures des fruits
• pustules sur les feuilles ou les aiguilles
• *cloques* sur les feuilles
• *nanisme* ou *gigantisme* affectant les feuilles et les branches
• *suintement, résinose* ou *gommose* sur les branches
• présence de branches mortes ou très affaiblies
• fasciculations au niveau des branches
• brûlures et coloration anormale des rameaux ou de l'extrémité des branches
• chancres ou tumeurs sur les branches

Taches sur les feuilles

Il existe une multitude de champignons pathogènes qui causent des taches sur les feuilles. Nous ne traiterons donc que de l'ensemble de ces taches et nous nous limiterons à des exemples courants. Seuls un examen microscopique ou la mise en culture peuvent révéler la nature du champignon parasite incriminé. Cependant, par un examen complet à partir des signes et des symptômes observés sur un sujet malade, il nous est permis de supposer que cette maladie est probablement causée par tel ou tel agent pathogène.

Thérapie

Nous ne pouvons traiter toutes les taches des feuilles à l'aide du même *fongicide*. Il faut appliquer le traitement

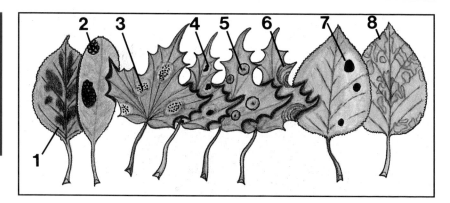

1- tache de la
tavelure de la
pomme; tache à
contours irréguliers
et mal définis

2- tache
goudronneuse
noire, épaisse et
luisante

3- tache
goudronneuse
ponctuée

4- tache
goudronneuse
simple

5- tache circulaire

6- tache en forme
de cible

7- tache d'encre

8- tache irrégulière

En haut

**Tache septorienne
du Peuplier
(tache irrégulière)**

Ci-contre

**Tache goudron-
neuse du Saule**

approprié à chaque cas, donc choisir le fongicide qui convient après avoir lu attentivement l'étiquette du produit (voir tableau 6, page 172). Un autre traitement, moins coûteux consiste à brûler les feuilles tombées au sol et infectées au cours de la saison de croissance ou à la fin de celle-ci. Cette précaution réduit d'année en année les dommages causés par ces champignons parasites des

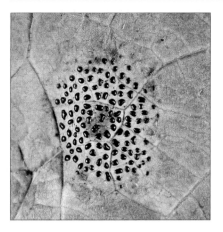

En haut à gauche :

**Tache goudron-
neuse ponctuée de
l'Érable**

En haut à droite :

**Tache (anthracnose)
sur Érable (tache en
forme de cible)**

Ci-contre :

**Taches irrégulières
et circulaires sur
Érable**

Ci-dessous :

**Tache goudron-
neuse simple sur
Érable**

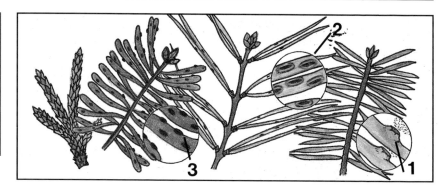

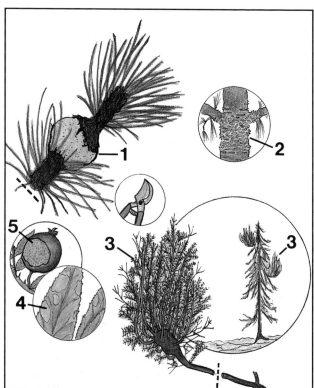

feuilles. Il existe des traitements par fongicide très efficaces contre la *tavelure* du Pommier que les arboriculteurs ou d'autres spécialistes pourront appliquer. Le Captan, le Ferbam et le Daconil semblent très bien convenir au traitement de plusieurs types de taches des feuilles.

Rouilles et rouges

Plusieurs autres champignons microscopiques affectent parfois très gravement le feuillage des feuillus et des conifères. L'apparition de pustules orangées ou saumonées a lieu surtout au printemps et à l'automne, en fonction du type de rouille et de son cycle de reproduction. Ces pustules renferment des spores de même couleur que l'on peut recueillir sur du papier noir en secouant une branche porteuse de feuilles ou d'aiguilles affectées. D'autres formes de *rouilles* peuvent attaquer le tronc ou les branches, telles la rouille-tumeur du Pin, la rouille vésiculeuse du Pin blanc, la rouille-balai de sorcière des conifères, la rouille des feuilles de feuillus et des fruits des Rosiers.

Les *rouges* affectent les conifères et ressemblent en apparence aux rouilles. Cependant elles s'en distinguent par la présence de petites pustules foncées à la surface des aiguilles. Les rouilles et les rouges peuvent être traités par des fongicides.

Thérapie

L'élimination et le brûlage des organes atteints, comme les branches portant des feuilles ou des aiguilles infectées, contribuent à diminuer le danger de propagation à des sujets sains. Si les arbres ou arbustes sont fortement affectés, il vaut mieux les éliminer rapidement pour diminuer au maximum les risques de contamination dans une plantation, par exemple. Les fongicides comme le Ferbam (Chlorothalonil ou Daconil 75% WP) peuvent être efficaces dans le traitement des rouilles et des rouges si l'on suit à la lettre les recommandations du fabricant.

Petits chancres, brûlures et dépérissement des rameaux

Beaucoup de champignons parasites sont responsables de ces maladies qui endommagent plus ou moins gravement bon nombre de feuillus dans le nord du continent américain. Les arbres et les arbustes en sont affectés; même s'il s'agit de petits chancres des branches qui sont causés par des champignons comme *Nectria* sp., *Cytospora* sp., *Septora* sp, etc. Il reste qu'il faut redoubler de surveillance lorsqu'ils s'attaquent aux organes essentiels des plantes. Les chancres réduisent considérablement le développement des branches, quand ils ne l'arrêtent pas complètement par

Rouille sur aiguille de Pin

Rouille sur fruits du Rosier

Rouille sur les feuilles de l'Aigremoine

Rouille tumeur du Pin

Rouille balai-de-sorcière sur Sapin

Rouge sur aiguilles de Sapin

annellation de la zone de croissance et de transport de la sève. Le champignon, dans certains cas, forme des *nodules* qui sont extrêmement gros sur les branches porteuses. Les brûlures des rameaux, des feuilles et des fruits peuvent être causées soit par les intempéries, soit par des champignons ou des bactéries, et même souvent par des substances polluantes. Si ces brûlures affectent sévèrement l'arbre ou l'arbuste, elles entraîneront le dépérissement de certains organes ou même celui de l'arbre ou de l'arbuste.

Thérapie
Il est nécessaire, quand cela est possible, de couper les branches à environ 30 cm sous l'endroit infecté et de s'en débarrasser en les brûlant de préférence. Mais avant de pratiquer toute *ablation,* veillez à bien désinfecter vos outils. Certains produits comme les antibiotiques du type Streptomycine appliqués à une température extérieure au-dessus de 18°C peuvent prévenir ces types d'infections et il ne faut traiter l'arbre ou l'arbuste que lorsqu'il est presque totalement en fleurs. L'application sur le feuillage de fongicides adéquats, en suivant bien les recommandations du fabricant, peut réduire ou même stopper la progression de la maladie au cours de la saison estivale. Les fongicides comme le sulfate de cuivre et le mélange bordeaux, ou tout autre *bouillie* fongicide équivalente, peuvent être badigeonnés ou pulvérisés sur les parties affectées avec de bons résultats.

Nodule noir du Cerisier
Les Cerisiers, les Pruniers, les Abricotiers et les Pêchers

Planche 20
Brûlures et nodules

1- chancre sur une branche de Cerisier : *chancre apiosporinien*

2- nodule noir du Cerisier

3- brûlure des rameaux sur le Saule et le Sorbier

4- délimitation de la zone de brûlure des rameaux

sont sujets à être infectés par le nodule noir du Cerisier. Ce nodule est causé par un champignon pathogène qui se développe d'abord sur les branches pour ensuite atteindre le tronc des arbres en cause. Le champignon pathogène *infecte* les branches, mais les signes d'infection ne sont pas visibles la première année. Au cours de la deuxième année, on voit apparaître des déformations sur les branches qui se transforment rapidement en bourrelets ou renflements vert olivâtre à mesure que la saison avance. Vers la fin de la saison, ces bourrelets noircissent et forment des nodules. Ceux-ci infecteront d'autres sujets le printemps venu et continueront à progresser sur les branches de l'arbre porteur jusqu'à la mort éventuelle de celles-ci. Lorsque l'arbre est

**Planche 21
Nodule noir du
Cerisier**

1- nodule sur une
branche infectée

2- chancre
précédant la
formation du
nodule

3- premiers signes
de la présence de la
maladie par
apparition de
gommoses

suffisamment infecté, de petits chancres apparaissent sur le tronc, ils laissent souvent exsuder une substance gélatineuse appelée gommose. La présence de ces gommoses indique souvent que l'arbre est très gravement atteint.

À gauche :

Cerisier atteint du nodule noir

À droite :

Nodule noir sur branche de Cerisier

Thérapie

En forêt ou dans un boisé, il n'y a pas grand-chose à faire, sauf détruire et brûler les sujets atteints. En milieu urbain, une certaine prévention est possible à la condition qu'il n'y ait pas d'autres arbres infectés dans le secteur. Pour combattre l'infection possible des autres arbres, il est souhaitable de couper la branche de 10 à 15 cm au bas du nodule, quand cela est possible, et il faut bien entendu désinfecter les outils avant l'ablation. On devra brûler les branches après l'ablation et s'astreindre à une surveillance annuelle, sur plusieurs années consécutives, pour éviter que de nouvelles infections ne se développent sur de jeunes branches saines. Si des chancres apparaissent sur le tronc et si l'on y aperçoit des gommoses, il faudra les nettoyer et les vider soigneusement comme pour une chirurgie du tronc, puis cautériser à la torche au propane les parties nettoyées. Un fongicide liquide peut être appliqué sur la plaie par pulvérisation, ou en la badigeonnant, pour prévenir toute rechute. Certains fongicides comme le Ferbam, le Manèbe, la bouillie soufrée ou la bouillie bordelaise ont donné des résultats satisfaisants lorsque les arbres ont été traités tôt au printemps.

Brûlure du Saule

Ce sont les saules ornementaux qui sont les plus atteints par cette maladie, car leur beauté en souffre. Cependant une espèce (Saule laurier) semble résister à la maladie et on le recommande pour cette raison comme arbre d'ornement. La maladie est très fréquente chez les saules indigènes en forêt et c'est pourquoi elle est manifestement présente et dangereuse pour les saules d'ornementation. Elle affecte surtout les feuilles, les rameaux et les pousses. Un printemps humide et chaud favorise le développement du champignon parasite qui infecte gravement les parties aériennes du Saule. La maladie se manifeste d'abord par des taches sur les feuilles; ces taches s'agrandissent au cours de la saison jusqu'à couvrir toute la surface des feuilles qui se dessèchent et tombent. Elle affecte en outre les pousses et les jeunes rameaux qui brunissent, puis sèchent sur l'arbre. La mort du Saule survient après quelques années, si la maladie persiste, mais avant cela il se développe des chancres plus ou moins profonds. Ces chancres ont un contour rougeâtre alors que le centre demeure grisâtre ou brunâtre. Les fructifications du champignon parasite émergent du dessous de l'écorce pour libérer les spores qui, éventuellement, contamineront d'autres arbres du voisinage.

Thérapie
Le ramassage et le brûlage des feuilles tombées à l'automne aident à lutter contre la propagation de la maladie. De plus,

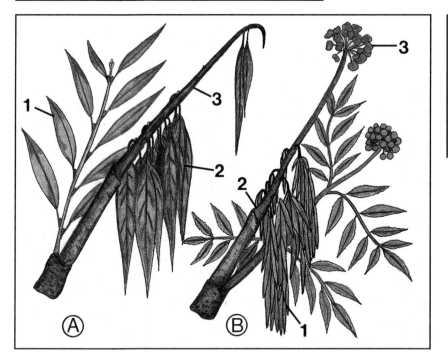

l'ablation avec un sécateur stérilisé et le brûlage des branches malades sont de bonnes mesures à prendre surtout si on le fait à la fin de l'été et à l'automne. Certains fongicides à base d'oxychlorure de cuivre, de fer ou de zinc semblent être très efficaces, au dire de plusieurs auteurs.

Brûlure bactérienne du Sorbier

Contrairement à d'autres maladies décrites dans cet ouvrage, la brûlure du Sorbier est causée par une *bactérie*. Cette bactérie peut également affecter d'autres essences : Pommiers, Pommetiers, Pruniers, Aubépines, Cotonéasters et Spirées. La brûlure affecte les rameaux, les feuilles, les fleurs et les fruits et c'est sur le Sorbier qu'elle se remarque le plus. On peut apercevoir en outre de petits chancres sur les branches ou sur le tronc lorsque la maladie atteint gravement l'arbre. Les premiers signes de la brûlure bactérienne se manifestent par une coloration et un flétrissement des feuilles affectées qui meurent par la suite. Les rameaux se dessèchent, entraînant le dépérissement d'une partie du feuillage. Si la maladie persiste, des chancres apparaissent et colonisent des branches plus

Planche 22

(A) Brûlure du Saule et (B) brûlure bactérienne du Sorbier

A, 1- début de brûlure de la pointe des feuilles avec ses taches

2- flétrissure et dessèchement des feuilles

3- brûlure du rameau

B, 1- flétrissure et dessèchement des feuilles

2- brûlure du rameau

3- brûlure des fruits

grosses en détruisant les tissus de croissance (cambium) et de protection (écorce). À la fin, de plus gros chancres encore s'attaquent au tronc.

Thérapie

L'ablation et le brûlage des rameaux et des feuilles infectées et tombées se révèlent des moyens efficaces pour enrayer la progression de la maladie. Les parties atteintes de chancres doivent être brûlées tout comme la branche qui les porte. Mais si la maladie n'affecte que le début des rameaux, on devra couper la branche à environ 30 cm au-dessous de la zone du début de l'infection. Avant chaque opération, il faut désinfecter les outils, le sécateur en particulier, avec un stérilisant pour ne pas contaminer les autres branches. Certains antibiotiques, comme la streptomycine, appliqués à titre de prévention sur les arbres en fleur donnent une protection suffisamment efficace si l'on suit bien les recommandations du fabricant. Il en va de même pour le sulfate de cuivre, la bouillie bordelaise et le zinc qui semblent être aussi efficaces comme préventifs contre la brûlure bactérienne du Sorbier.

Cloques, enroulures, perforations, brûlures et blancs

Cloques, enroulures, perforations, brûlures et blancs sont généralement causés par des champignons parasites ou par des traumatismes physiologiques dus entre autres aux conditions climatiques. Les cloques n'altèrent que très peu la fonction de photosynthèse des feuilles et rares sont les arboriculteurs qui traitent les arbres affectés par cet agent pathogène. Les enroulures ou déformations des rameaux, les *perforations* ou les brûlures de la pointe des feuilles peuvent être le fait de champignons parasites ou de traumatismes dus au climat. Ces maladies ne requièrent aucun traitement, car c'est l'arbre ou l'arbuste qui de lui-même pourvoira au remplacement des feuilles pendant la saison estivale. Les refroidissements et réchauffements successifs au cours de l'hiver font beaucoup de tort aux rameaux, aiguilles et bourgeons des feuillus et des conifères. Le gel tardif ou hâtif cause parfois des brûlures considérables aux feuilles et aux aiguilles. Nous traiterons en détail des méfaits du climat dans les pages qui suivent. Les moisissures sont souvent causées par la présence de trop d'humidité à l'endroit où l'arbre, ou l'arbuste, se

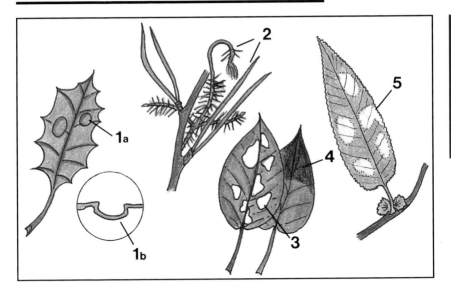

développe. Une bonne aération et le dégagement des branches contribuent à diminuer les risques de blancs des tissus tendres de la plante. Certains fongicides sont efficaces comme la bouillie bordelaise ou les sulfates de cuivre.

Thérapie
Aucun produit de nature chimique ne peut être appliqué dans ces cas. La prévention et les soins annuels demeurent les moyens les plus efficaces d'éviter ces problèmes tenus pour mineurs. L'apport de fertilisants et une bonne hygiène des arbres et des arbustes minimiseront les dégâts causés par ces traumatismes.

Dommages causés aux arbres et arbustes par des substances polluantes et par le sel de voirie

Les dégâts causés aux arbres par des substances polluantes sont de plus en plus courants. Les arbres concentrés dans des zones fortement industrialisées sont généralement sujets à des dérangements de nature physiologique. Il est

Planche 23
Cloques, enroulures, perforations, brûlures et blancs

1a- cloques des feuilles

1b- détail d'une cloque vue en coupe verticale

2- enroulure et coloration des rameaux et des aiguilles

3- perforations attribuables au gel des bourgeons

4- brûlure attribuable au gel, au début de la saison estivale

5- blancs sur des feuilles

Cloques sur feuille de Chêne

très difficile de traiter ici tous les types de symptômes, car on ne connaît pas les effets de certaines de ces substances sur l'environnement. L'observation du milieu et l'inventaire des facteurs environnementaux qui pourraient en être la cause sont parfois d'excellents signes *diagnostiques*. Suit ci-dessous la description de quelques substances polluantes susceptibles d'affecter plus ou moins gravement les végétaux.

Anhydride sulfureux (SO_2)

C'est un gaz phytotoxique pour plusieurs arbres, en particulier l'Aulne rugueux, le Bouleau à papier, l'Épinette blanche, l'Épinette noire et le Mélèze laricin. Sa phytotoxicité est très grande lorsqu'il est en solution aqueuse. Son action combinée à celle de certains métaux lourds, comme le zinc, le cuivre, le nickel, le plomb, l'arsenic, le mercure et le cadmium, contribue à acidifier le sol et rend ainsi ces éléments solubles. Les principales sources de ces émanations dans l'environnement sont les industries du gaz naturel, du pétrole, les mines et les fonderies de métaux.

Hydrocarbures

Ces gaz en suspension dans l'air sont émis par des hydrocarbures non brûlés qui proviennent le plus souvent

**Planche 24
Pollution atmosphérique**

1- coloration des feuilles (feuillus)

2- coloration des aiguilles (conifères)

d'usines de raffinage, de traitement, de craquage du pétrole, de combustibles et de condensats, pour ne citer que ces sources.

Substances polluantes diverses
Les végétaux sont affectés par beaucoup d'autres substances gazeuses, liquides et solides dont l'origine a été identifiée à ce jour. Entre autres, mentionnons les émissions d'anhydride sulfureux des industries de pâtes et papiers, l'hydrogène sulfuré, le méthylmercaptan et le sulfure de diméthyle. De petites quantités de SO_2, d'hydroxyde de sodium et d'ammoniac sont libérées dans l'environnement et causent des dégâts souvent irréversibles sur la végétation et l'environnement en général.

D'autres substances toxiques pour les plantes sont émises par des moteurs à combustion fixes, en particulier l'oxyde d'azote (NO_2). Les industries de produits

En haut, à gauche :
Dépotoir et déversement de substances toxiques

En haut, à droite :
Feuillage affecté par de la poussière d'amiante

En bas, à gauche :
Effet d'un insecticide sur le feuillage de l'érable

En bas, à droite :
Gigantisme et déformation produits par des substances polluantes

chimiques utilisés comme engrais agricoles sont responsables d'émanations de vapeurs ammoniacales. Rappelons également l'emploi parfois exagéré d'herbicides, d'insecticides, de fongicides, bref de pesticides en général. Ces produits, lorsqu'ils sont appliqués de manière rationnelle, peuvent, par ailleurs, être utiles dans bien des cas.

Il existe pour de nombreux pays des études très spécialisées que vous devrez consulter si vous désirez en savoir plus sur ce sujet.

Les signes physiologiques de ces atteintes sont nombreux; nous ne citerons que les principaux : les *chloroses,* les *nécroses,* les *flétrissures,* le *noircissement,* les *mouillures,* l'aspect huileux du feuillage, les *lésions* et certaines colorations souvent précoces.

Effets du déglaçage chimique sur la végétation

Le déglaçage chimique en hiver est un des facteurs non négligeables de la détérioration des arbres et arbustes à proximité des routes. Il faut reconnaître qu'il a une action corrosive sur la carrosserie des automobiles et, bien entendu, sur la végétation. Beaucoup d'études ont été entreprises en Amérique du Nord dans le but de sélectionner des essences tolérantes qui pourraient éventuellement servir à reboiser les abords des circuits routiers. Plusieurs essences le sont, mais ne sont pas nécessairement belles ou esthétiques après avoir subi les *embruns* du sel de voirie. Peut-être faudrait-il se demander si ce reboisement est indispensable et le concentrer dans des zones moins exposées. L'aménagement paysager de ces territoires et le coût de la plantation nous semblent trop coûteux par rapport aux résultats escomptés. Une flore *herbacée* et *arbustive* est de loin supérieure, à tout prendre, et on l'installe sans trop de difficultés. Pourquoi ne pas laisser la nature suivre son cours?

Le sel de voirie renferme 98,5% de chlorure de sodium, 1,2% de sulfate de calcium, 0,1% de chlorure de magnésium et 0,2% de sable ou de particules de gravier. Ces pourcentages peuvent varier. À la fonte des neiges, le sel de voirie se dissout dans l'eau qui sera ensuite absorbée par le système racinaire. Les ions sodium et chlorure affecteront les racines par accumulation excessive et causeront des dégâts physiologiques plus ou moins graves aux arbres et aux arbustes. Au début de l'été, ces dégâts sont facilement visibles d'après le type d'essence. Le dessèchement des pousses, la mort des bourgeons, les *rejets* à la base des arbres, les fasciculations sur le tronc, la coloration prématurée des nouvelles pousses et des feuilles sont les signes manifestes d'un traumatisme physiologique. Nous pouvons sans peine les reconnaître en examinant les conifères et les feuillus en bordure des routes. Le côté exposé est rapidement atteint par le flétrissement ou les brûlures des aiguilles et des fasciculations apparaissent sur les feuillus.

Le déglaçage chimique rend les végétaux plus vulnérables aux maladies. Il n'est pas rare de voir des chancres *nectriens* et *cytosporiniens* sur des feuillus comme l'Érable, le Frêne, l'Orme, etc. Outre qu'il contribue à la compaction du sol en bordure des routes et diminue l'oxygénation entre les particules, l'excès de sel (sodium) freine l'absorption de certaines substances minérales essentielles à la croissance et provoque une carence en magnésium et, le plus souvent, en potassium. Ajoutons à cela le *stress* causé aux plantes par les diverses substances polluantes et nous devrons tôt ou tard envisager l'urgence de résoudre ce problème si nous voulons conserver cette biomasse.

Thérapie

Il faut éviter autant que possible de rejeter la neige mélangée au sel sur les arbres placés en bordure d'une route. Il est important de choisir des essences tolérantes (voir tableau 5) au déglaçage si l'on tient vraiment à reboiser ces secteurs routiers. Les haies peuvent être protégées par des panneaux installés du côté de la route. Il faut enfin autant que possible s'abstenir de déglacer à la fin de l'hiver ou tôt au printemps.

Dessiccation hivernale, gel des bourgeons et gel tardif

La dessiccation hivernale et le gel des bourgeons atteignent un grand nombre d'essences ornementales dans les régions froides. Il n'existe malheureusement pas de traitement efficace pour soigner les arbres ou arbustes déjà affectés, cependant certaines mesures préventives peuvent être appliquées dans le but de prévenir ces deux maladies *physiogéniques*. Les premiers symptômes apparaissent au printemps qui suit l'*affection*. Les aiguilles des conifères virent au rouge et parfois tombent. De nouvelles aiguilles

TABLEAU 5 – **TOLÉRANCE RELATIVE DES ARBRI**

BONNE TOLÉRANCE

Abricotier
Amélanchier du Canada
Arbre aux pois
Argousier faux-nerprun
Aubépine ergot-de-coq
Bouleau acajou
Bouleau à papier
  (flaviromea)
Bouleau jaune
Bouleau gris
Bouleau de Virginie
Chêne à gros fruits
Chêne blanc
Chêne du Maryland
Chêne rouge
Chêne rouvre
Chèvrefeuille des haies
Chèvrefeuille de Tartarie
  (Zabalii)
Épinette blanche
Épinette bleue
Épinette bleue de Chine
Érable de Norvège
Févier sans épines
Frêne américain
Frêne puant
Gadelier alpin
Gommier noir
Houx touffu
Lilas à feuilles rondes
Magnolia à grandes fleurs

Marronnier d'Inde
Mélèze d'Europe
Mélèze du Japon
Mûrier blanc
Nerprun cathartique
Olivier de Bohême
Orme de montagne
Osier blanc
Parthénocisse à cinq folioles
Peuplier à feuilles acuminées
Peuplier à feuilles étroites
Peuplier à grandes dents
Peuplier baumier
Peuplier blanc
Peuplier de Lombardie ou d'Italie
Peuplier deltoïde
Peuplier faux-tremble
Pin gris
Pin sylvestre
Pin mugo
Pin noir d'Autriche
Pin ponderosa
Pin rigide
Pin de Thunberg
Potentille frutescente «jackmanii»
Robinier faux-acacia
Rosier rugueux
Saule fragile
Saule matsudana (chinois) «tortuosa»
Sheferdie argentée
Spirée de Vanhoutte
Symphorine blanche lisse
Sumac vinaigrier
Tamaris pleureur

TOLÉRANCE MODÉRÉE

Aulne glutineux
Bouleau pleureur
Catalpa cordifolié
Cerisier tardif
Érable argenté
Érable ginnala
Érable negundo
Érable sycomore
Frêne de Pennsylvanie
Genévrier de Virginie
If japonais
Lilas commun
Nerprun bourdaine
Noyer royal
Orme de Sibérie
Orme d'Amérique
Pommier microcarpe de
Sibérie
Saule blanc
Saule laurier européen
Saule noir
Sorbiers
Thuya occidental
Tilleul à petites feuilles
Tilleul d'Amérique
Troène d'Europe
Viorne trilobé

FAIBLE TOLÉRANCE

Amélanchier glabre
Aulne rugueux
Caryer à noix douces
Charme de Caroline
Charme faux-bouleau
Cornouiller stolonifère
Épinette de Norvège
Érable à sucre
Érable rouge
Fusain
Hêtre à grandes feuilles
Hêtre d'Europe
Noisetier
Noyer noir
Orme bâtard
Pin blanc
Pin rouge
Pommetier «Hopa»
Pruche du Canada
Sapin baumier
Sapin de Douglas
Sureau rouge à grappes

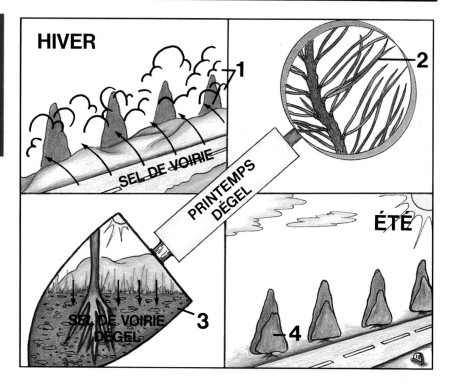

HIVER

SEL DE VOIRIE

PRINTEMPS DÉGEL

SEL DE VOIRIE DÉGEL

ÉTÉ

1

2

3

4

Planche 25
Effets du déglaçage chimique sur la végétation

1- embruns et éclaboussures de l'eau de fonte polluée par le sel de voirie

2- brûlure des aiguilles d'un Pin

3- absorption par le sol du sel de voirie

4- côté de l'arbre exposé aux embruns et éclaboussures

À droite

Pins rouges affectés par le déglaçage

pousseront à l'extrémité des branches à condition que les bourgeons n'aient pas été endommagés. La dessiccation hivernale n'affecte que les conifères arborescents et arbustifs. Quels sont donc les effets de cette maladie sur les

Feuilles d'Érable
affectées par le sel
de voirie absorbé et
fixé par le sol

Fasciculations sur les
branches des
feuillus en bordure
des routes soumises
au déglaçage
chimique

Balai-de-sorcière ou
fasciculations des
branches d'un
feuillu affecté par le
déglaçage chimique

Protection contre les embruns et les éclaboussures

conifères? Pendant l'hiver surviennent parfois des périodes de réchauffement qui ont pour conséquence de mettre en activité le processus de transpiration et d'évaporation de l'eau contenue dans les aiguilles. Le sol étant gelé, la plante ne peut donc compenser cette déperdition en puisant de l'eau dans le sol. Cette privation d'eau conduit les aiguilles à se dessécher graduellement. Le gel des bourgeons affecte, quant à lui, les bourgeons des conifères et des feuillus. Les aiguilles des bourgeons bruniront et se recourberont le printemps suivant. Les feuilles des feuillus seront perforées comme si elles avaient été rongées par des chenilles.

Une bonne aération et un bon drainage du sol aident à prévenir ces deux traumatismes infligés aux arbres. Il faut également éviter de planter les arbres à des endroits trop exposés aux vents dominants. On choisira donc des essences rustiques qui s'acclimatent bien. À l'automne, il est souhaitable d'abriter les arbres, les arbustes ou les haies contre le froid rigoureux de l'hiver en se servant de matériaux qui laissent suffisamment d'aération durant les périodes froides. En répandant des feuilles mortes ou de la paille autour du tronc, on peut empêcher le soulèvement du sol par le gel qui risque d'exposer les racines au dessèchement hivernal. Un *paillis* disposé à la base des arbres contribue à maintenir suffisamment d'humidité dans le sol pour l'hiver. L'élagage des branches mortes à la base

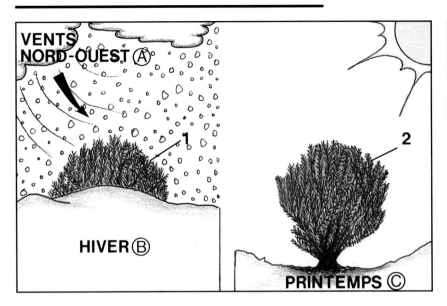

VENTS NORD-OUEST Ⓐ

1

2

HIVER Ⓑ

PRINTEMPS Ⓒ

des arbres et l'application de fertilisants chimiques à action lente comme le 3-6-12 (Mg et B) servent à prévenir la dessiccation et le gel des bourgeons. Nous ne vous recommandons pas d'utiliser des engrais additionnés d'herbicide ou de toute autre substance chimique.

PROTECTION DES ARBRES ET ARBUSTES EN PRÉVISION DE L'HIVER

Au cours de la saison hivernale, plusieurs traumatismes peuvent affecter plus ou moins gravement les arbres ou arbustes transplantés l'année précédente. Nous devons ainsi considérer leur exposition par rapport aux vents dominants, l'élévation du terrain, la nature et la structure du sol, la zone de rusticité, les traumatismes provoqués par le déneigement, la circulation routière, etc. Une fertilisation automnale au moyen d'engrais adéquats comme le 3-6-12 additionné de magnésium (Mg) et de bore (B) ou au moyen d'engrais organiques bien décomposés comme les composts ou autres produits recommandés peuvent augmenter la résistance des arbres ou des arbustes en favorisant la lignification des tissus à l'automne. Pour l'application des fertilisants, il faut se conformer aux recommandations du fabricant. S'il s'agit d'application d'engrais chimiques, il faut incorporer le produit au sol. On perfore au préalable le sol avec une tige ou un bâton sur 30 à 50 cm de profondeur tout autour de

**Planche 26
Dessiccation
hivernale**

A- vents dominants du nord-ouest

B- accumulation de neige à la base de l'arbre

C- fonte de la neige au printemps

1- sommet non abrité de l'arbre et exposition aux vents et froids hivernaux

2- dessiccation et coloration provoquées par les rigueurs de l'hiver

Pin mugo affecté par le gel (dessiccation hivernale)

Planche 27
Gel des bourgeons

1- bourgeon atteint par le gel

2- perforations à peine apparentes après le début de l'éclatement des bourgeons

3- perforations produites sur une feuille complètement développée

4- brûlure de la feuille produite par une gelée au début de la saison estivale après la sortie des feuilles

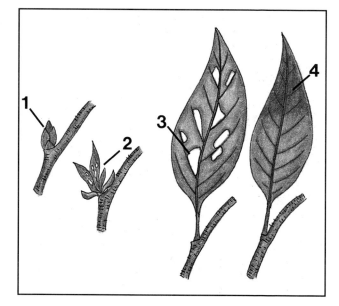

l'arbre, puis on y verse une petite quantité d'engrais. Les engrais organiques comme les fumiers et les *fientes* doivent être soigneusement incorporés au sol en petites proportions. Il faut également entretenir l'humidité du sol autour des arbres transplantés en arrosant régulièrement. Les conifères réclament plus d'eau au cours de l'hiver, car une certaine activité physiologique, comme l'évaporation de l'eau contenue dans les tissus des aiguilles, peut survenir lors des réchauffements occasionnels de la température.

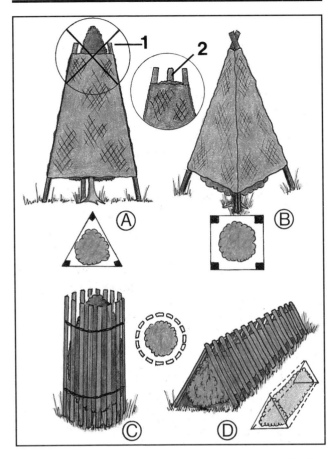

On devra bien entendu cesser tout arrosage dès les premières gelées fortes. Le Thuya et les Sapins exigent beaucoup d'humidité; les Épinettes et certains Pins, comme le Pin mugo, en demandent moins.

Afin de protéger les arbres et les arbustes plus exposés aux méfaits de l'hiver, nous vous recommandons de les installer sous abri. Choisissez le modèle qui vous convient le mieux, améliorez-le si nécessaire ou créez-en d'autres. Ne recouvrez pas les abris de tissu imperméable comme le polythène; ce matériau affecte la transpiration des tissus de la plante et, en retenant trop d'humidité, suscite le développement de moisissures au moment du réchauffement printanier. Le meilleur recouvrement est le jute ou son équivalent. Certains spécialistes conseillent de recouvrir la base de l'arbre ou de l'arbuste d'un paillis composé de paille, de mousse de tourbe, de feuilles ou autre, pour prévenir le gel des racines et diminuer l'évaporation de l'eau du sol lors des réchauffements de la température. Cela peut se révéler fort utile si la neige est peu abondante pendant l'hiver. Mieux vaut prévenir dans ce cas. Enfin l'exposition des arbres et des arbustes devrait être le facteur déterminant lors du choix des abris hivernaux.

Dommages causés par des rongeurs

Assez souvent au printemps, nous avons la désagréable surprise de découvrir que la base des arbres a été endommagée par des rongeurs. Pour parer à ces dégâts, il existe plusieurs moyens relativement efficaces. Les substances chimiques empoisonnées ou répulsives se révèlent plus ou moins agissantes selon le cas. Les graines empoisonnées peuvent faire un tort considérable aux oiseaux. C'est pourquoi nous vous les déconseillons. Les *répulsifs* obtiennent peu de résultats et sont peu durables surtout si l'on vaporise ou badigeonne le tronc. La meilleure méthode consiste à protéger l'arbre avec un grillage circulaire, une spirale en plastique ou un tuyau de drainage

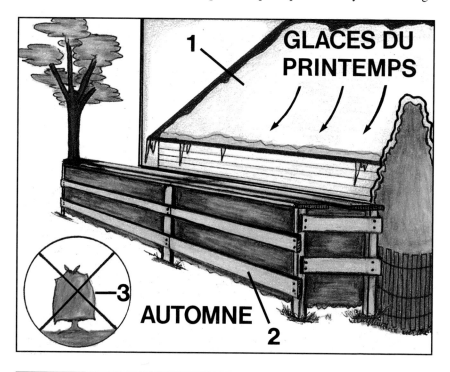

en plastique que l'on fend sur la longueur. Il est nécessaire d'enlever ces protecteurs au printemps, avant la sortie des feuilles; l'humidité qu'ils contribuent à maintenir pourrait favoriser la pénétration de champignons pathogènes.

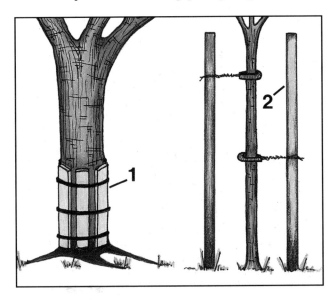

Planche 30

1- protection de la base d'un arbre placé en bordure de route et exposé au déneigement au cours de l'hiver

2- exemple d'arbre stabilisé par deux tuteurs

Planche 31

1- tuteur stabilisant un arbre ou un arbuste dont la tige est fragile

2 et 3- pièce de jute enveloppant le feuillage et retenue par une corde

4- sangle maintenant en place des planchettes de bois

5- abri conique fait de planchettes de bois maintenues par des sangles

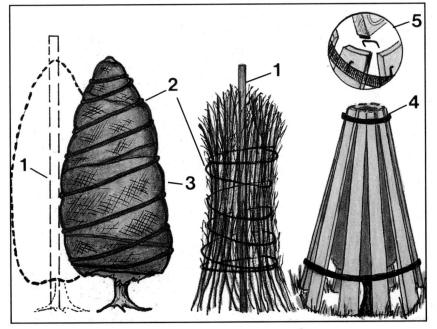

Ci-dessus : **Protection d'une haie au moyen de clôture à neige**

En haut, à droite : **Abri rectangulaire enveloppé de jute**

Ci-contre : **Tuteurage et protection d'une haie**

Ci-dessous : **Abri de planches recouvrant une haie**

En haut, à gauche :
Abri circulaire fait de clôture à neige

En haut, à droite :
Coupe-vent parfois utile pour la protection d'arbustes

Ci-contre : **Abri fabriqué de planches pour protéger une haie**

Ci-dessous : **Arbustes entourés de corde**

Ci-dessus : **Gros plan d'un arbuste entouré de corde**

En haut, à droite : **Protection de la base d'un arbre contre tout méfait dû au déneigement**

Ci-contre : **Protection inadéquate et dangereuse pour les arbustes ou jeunes arbres**

Ci-dessous : **Abri rectangulaire de planchettes pour protéger arbres et arbustes**

Système de protection des arbres et arbustes à déconseiller

Paillis de branches de sapin ou de pin sur jeunes semis en pépinière

AUTRES CAUSES DE DÉPÉRISSEMENT

Rappelons brièvement qu'un dépérissement est consécutif à la mort des branches et des tiges d'un arbre ou d'une plante à partir du sommet et progressant vers le tronc ou la tige.

La maladie hollandaise de l'Orme

Cette maladie cause actuellement beaucoup de problèmes en ce qui concerne sa prolifération et l'infection dont elle afflige plusieurs espèces d'ormes tant indigènes qu'exotiques. Le diagnostic de la maladie hollandaise et son traitement sont complexes. Néanmoins nous en

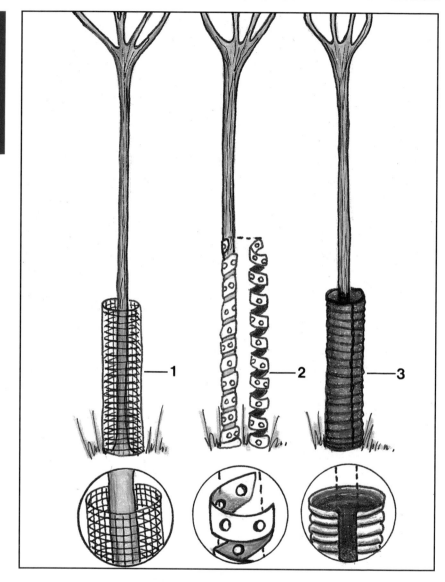

**Planche 32
Systèmes de
protection contre les
rongeurs**

1- grillage métallique circulaire

2- spirale de plastique ou de fibre

3- tuyau de drainage fendu sur la longueur

Ci-dessus :

Arbres dépérissants affectés par les rongeurs

À gauche :

Annellation de la base de jeunes arbres par des rongeurs

Ci-contre :

Spirale de fibre

À gauche : **Grillage métallique circulaire**

À droite : **Tuyau de drainage fendu sur la longueur**

Planche 33
La maladie hollandaise de l'Orme

1- coloration et flétrissure du feuillage

2- flétrissure et fanaison

3- apparition d'une zone circulaire brunâtre près du dernier anneau annuel de croissance

4- galeries creusées par le scolyte européen de l'Orme à la surface du bois et sous l'écorce

5- galeries creusées par le scolyte indigène de l'Orme à la surface du bois et sous l'écorce

6- croquis sommaire d'un scolyte

donnons une brève description qui peut servir à déceler les premiers indices de l'infection.

Indices et signes de la maladie hollandaise de l'Orme

Les premiers signes s'observent sur l'écorce, entre les fissures, où l'on aperçoit de la sciure fine et rougeâtre et de petits trous qui révèlent l'existence de *scolytes* sous l'écorce.

De petites branches sur le sol peuvent également trahir la présence de scolytes sur l'arbre.

Symptômes

Les premiers symptômes de la maladie apparaissent de la mi-juin environ jusqu'au milieu de juillet. Les feuilles fanent, se dessèchent et brunissent sans toutefois tomber sur le sol. Plus tard, au cours de la saison, on pourra observer une chute prématurée des feuilles et des branches atteintes, surtout celles qui sont près du tronc de l'arbre. Il faut noter que la coloration tardive des feuilles à l'automne peut rendre difficile le diagnostic de la maladie. Si l'on constate, le printemps suivant et au début de l'été, que les feuilles sont plus petites que celles de la saison passée, cela peut laisser supposer que la maladie a débuté l'année précédente. Si l'on coupe des branches vivantes et que l'on aperçoit dans la partie du bois une zone de coloration

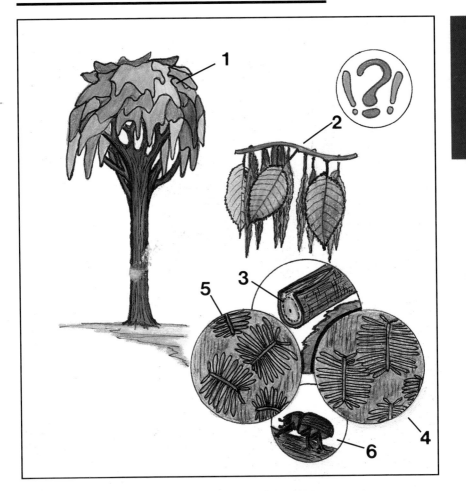

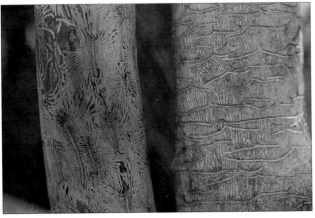

À gauche : galeries du scolyte européen de l'Orme
À droite : galeries du scolyte indigène de l'Orme

Ci-contre :

Zone de coloration sous l'écorce révélant la présence de l'agent pathogène.

En bas, à gauche :

Orme atteint de la maladie hollandaise propre à cette essence.

En bas, à droite :

Dépérissement **nectrien d'un Chêne rouge.**

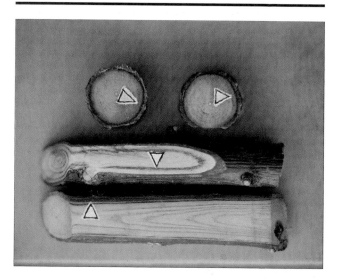

Dépérissement survenu à la suite d'une infection presque générale de la rouille vésiculeuse du Pin blanc. Il s'agit ici d'une branche latérale affectée sur un arbre adulte. Ce qui est plutôt rare chez un arbre adulte. La rouille affecte surtout les jeunes pins.

brune, cela pourrait confirmer la présence de la maladie. La zone de coloration brune est visible dans le dernier anneau annuel de croissance et immédiatement sous l'écorce mince de la jeune branche; des rayures brunes tapissent également la surface du bois.

Cependant, pour savoir avec certitude s'il s'agit de la maladie hollandaise, il faut soumettre aux analyses d'un laboratoire reconnu un échantillonnage suffisamment large de branches vivantes révélant des signes d'infection.

Propagation

La maladie hollandaise se propage par deux insectes appelés *scolytes* dont l'un est indigène et l'autre européen. Les petits trous et la fine sciure que l'on trouve dans les fissures de l'écorce sont leur œuvre. Si on enlève l'écorce des ormes morts, on peut apercevoir des galeries à la surface du bois. Celles qui sont perpendiculaires aux fibres du bois sont causées par le scolyte indigène; les galeries parallèles sont

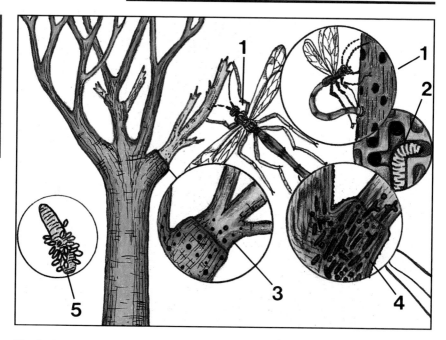

**Planche 34
Branches envahies
par des perceurs de
l'érable**

1- ichneumon
femelle parasitant
une larve du perceur
de l'Érable

2- larve du perceur
de l'Érable dans une
galerie

3- branche morte
abritant les larves du
perceur : à émonder

4- coupe d'une
branche morte
révélant les galeries
du perceur

5- œufs d'ichneu-
mon déposés sur une
larve du perceur de
l'Érable qui leur
servira plus tard de
nourriture

À droite :

Ichneumon

imputables au scolyte européen. La reproduction des scolytes a lieu dans des arbres affectés et en train de mourir, et même sur des arbres abattus laissés sur place. Il est donc très important, pour éliminer leurs larves, d'abattre et de brûler le plus vite possible les arbres malades et morts. Certaines mesures de prévention comme un bon émondage, une fertilisation adéquate dans le but de garder les Ormes sains et l'examen annuel de l'écorce et du feuillage peuvent

être très efficaces. Des traitements chimiques préventifs sont parfois nécessaires, mais il est préférable de les confier à des experts. Nous rappelons instamment l'obligation de toujours utiliser des instruments stériles.

Les parasites et les insectes utiles

Dans certaines grosses branches mortes se dissimule une faune active qui parasite l'arbre de l'intérieur. Aussi est-il important de savoir reconnaître quelques signes révélateurs de désordres physiologiques causés par des agents pathogènes et/ou des insectes nuisibles. Dans ce cas particulier, la planche 34 (page 106) illustre le perceur de l'Érable (un insecte à l'état larvaire) qui creuse des galeries à l'intérieur de l'arbre et

Galeries du perceur de l'Érable

nuit ainsi considérablement à sa croissance. La présence du perceur est révélée par un autre insecte (ici l'ichneumon femelle) qui pond ses œufs sur les larves des perceurs et les parasite par la suite. L'ichneumon est donc un insecte très utile et un bon indicateur de la présence d'un autre insecte parasite, le perceur de l'Érable.

ÉMONDAGE DE BRANCHES MORTES, INUTILES ET NUISIBLES

L'émondage des branches mortes, nuisibles ou inutiles peut s'effectuer en différentes saisons, mais on choisira de préférence la période pendant laquelle l'activité des arbres est ralentie, c'est-à-dire août et mars si possible. Il faut toutefois éviter d'opérer cette coupe pendant les grands froids. L'émondage qui a pour cause une pathologie doit se faire dès que l'on constate que l'état de santé de l'arbre est grandement détérioré. Cependant, en ce qui concerne les érables et quelques autres feuillus, on doit reporter l'émondage après la pleine activité printanière, lorsque la sève ne s'écoule plus ou peu. Les branches à enlever doivent être coupées le plus près du tronc possible, mais non à ras de celui-ci. Si d'autre part la branche est coupée trop loin du tronc, il y aura formation d'un moignon. Une coupe adéquate — ni trop près ni trop loin du tronc — provoque la formation d'un cal cicatriciel qui enveloppera le moignon par la suite.

L'émondage des grosses branches doit être effectué en prenant certaines précautions. Nous vous suggérons de procéder à trois coupes successives qui sont illustrées sur la planche 35 (page 109). La première se fait à 30 cm du tronc environ et la deuxième, à 45 cm; la troisième ne s'effectue qu'après que la branche est tombée, car elle permet de raccourcir le moignon et d'accélérer la cicatrisation. Les branches qu'il faut émonder sont : a) les branches mortes, très souvent affectées par des insectes perceurs et des champignons pathogènes; b) les branches qui se nuisent mutuellement par friction entre elles; c) les branches qui risquent de casser, donc de causer des dégâts ou des accidents; d) les branches superflues, par exemple celles qui sont situées trop près de la base de l'arbre. Il est également nécessaire de nettoyer les arbustes de leurs branches mortes, inutiles ou nuisibles dans le but d'en favoriser la

**Planche 35
Émondage de branches mortes, inutiles ou nuisibles**

A   1- coupe effectuée trop loin du tronc

2- déchirure de l'écorce d'un arbre consécutive à la coupe mal faite d'une branche trop lourde

B   1- première coupe d'une branche malade et nuisible

2- deuxième coupe pratiquée sur la même branche

3- troisième coupe pratiquée pour éliminer la section superflue du moignon

4- branche malade latérale au tronc

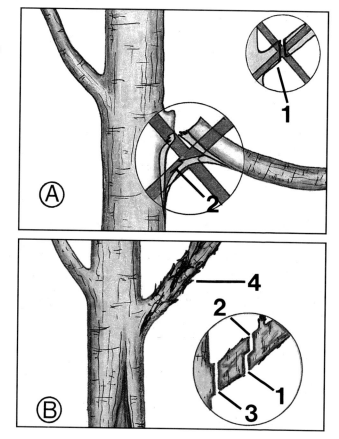

croissance ainsi que la lignification des tissus des tiges encore vivantes. Ce nettoiement permet également à la plante de profiter d'une façon optimale des substances

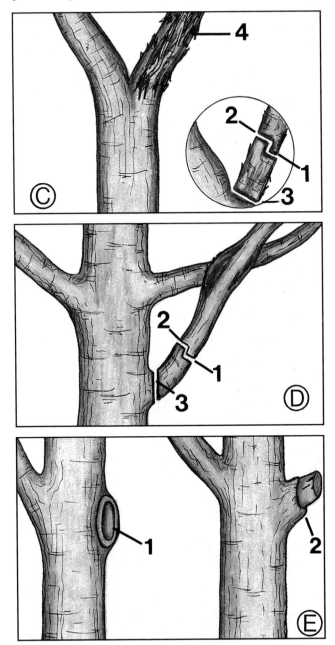

C 1- première coupe d'une branche malade sise à la fourche

2- deuxième coupe pratiquée sur la même branche

3- troisième coupe pratiquée pour éliminer la section superflue du moignon

D 1, 2 et 3- les trois coupes successives adéquates d'une branche qui opère une friction sur une autre

E Exemples de formation de cal cicatriciel :

1- coupe adéquate et formation d'un cal cicatriciel sain

2- coupe mal faite : formation d'un cal cicatriciel qui ne peut recouvrir le moignon trop long

En haut, à gauche :

Déchirure de l'écorce d'une branche mal coupée ou cassée

En haut, à droite :

Cal cicatriciel plusieurs années après une coupe correcte

Au centre :

Moignon trop long infecté par un agent pathogène

En bas, à gauche :

Ne pas badigeonner le moignon d'un enduit à émulsion d'asphalte

En bas, à droite :

Branches qui subissent une friction

Planche 36
Émondage d'une
branche située à
proximité d'une
habitation

1- poulie

2- gants de
caoutchouc ou de
cuir pour protéger
contre les brûlures
ou écorchures dues
au frottement de la
corde et casque
protecteur

3- branche morte à
émonder

4- émondage
réglementaire d'une
grosse branche

nutritives du sol. La coupe, si cela est possible, doit s'effectuer dans une partie saine et bien dégagée de l'arbre ou de l'arbuste pour en favoriser la cicatrisation. Si l'on élimine de petites branches, on doit les tailler le plus près possible d'un bourgeon latéral, comme ce serait le cas pour des branches affectées par des nodules, des brûlures, etc. Une coupe effectuée trop au-dessus d'un bourgeon terminal ralentit la cicatrisation et favorise la formation anormale d'un cal cicatriciel. Certains arbustes comme les Rosiers, les Lilas, ainsi que les arbres fruitiers, exigent des coupes plus rigoureuses et plus suivies. Si l'on se voit dans l'obligation de couper une branche qui subit une friction avec une autre, il faudra éliminer la moins robuste et nettoyer la blessure sur la branche restante.

Émondage d'une branche située à proximité d'une habitation

Certains émondages requièrent quelques accessoires et un peu d'ingéniosité. La branche morte illustrée à la planche 36 devra être soutenue au moment de la coupe pour ne pas endommager la toiture de la maison. Un câble solidement fixé à la branche permettra de la descendre lentement au

En haut, à gauche :

Émondage exagéré sous des lignes de transmission

En haut, à droite :

Émondage non réglementaire et rejets trop abondants

Ci-contre :

Plaie infectée autour d'un moignon recouvert d'un enduit à l'asphalte

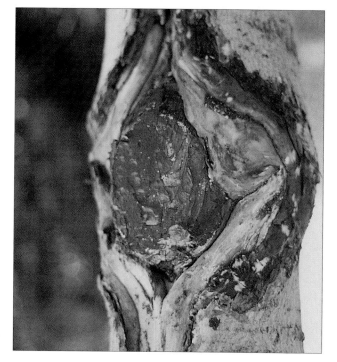

Émondage au long sécateur

Émondage au petit sécateur

moyen d'une poulie de corde à linge fixée à une branche supérieure suffisamment résistante.

Les supports de fortune

Parfois, il faut faire appel à l'imagination. Il n'est pas rare de trouver des supports de fortune dans les vergers et les plantations. Bien entendu, ils ne sont que temporaires et doivent être inspectés au moins deux à trois fois par an. Avant de placer le support au-dessous de la branche fendue, il faut la dégager des branches secondaires afin

**Planche 37
Coupe de nettoiement des arbustes**

A 1- élimination des branches mortes, inutiles ou nuisibles d'un arbuste

2- branche cassée et nuisible à supprimer

B arbuste après éclaircissement

d'en diminuer le poids. Cela fait, la stérilisation des tissus, se révèle nécessaire surtout si la plaie a été longtemps ouverte, donc exposée à l'humidité et aux maladies. Enfin, il faut fixer solidement le support à la base et à la branche. Nous vous conseillons de placer une bande de caoutchouc ou d'un autre matériau imputrescible au point de contact de la branche et du support pour éviter d'infliger des blessures à la branche. Il va de soi que vous pouvez modifier ces supports en les simplifiant ou en les améliorant.

Remplacement de la tête cassée d'un jeune arbre

Lorsque la tête d'un jeune arbre est cassée et qu'on veut lui rendre son apparence originale, il est nécessaire de la remplacer par une branche secondaire et voisine de la tête. Ce type d'opération est surtout pratiqué sur les conifères, mais peut aussi convenir à certains feuillus. Il faut alors enlever le moignon de la tête par une coupe en oblique et le plus près possible de la branche de remplacement. En redressant celle-ci, puis en la fixant à un tuteur solide, on devrait obtenir une tête de remplacement dans les années qui suivent. Il ne faut surtout pas appliquer d'enduit protecteur sur le moignon coupé qui se cicatrisera de lui-même à la longue.

Émondage des arbres sous les lignes de transmission

L'émondage des arbres à proximité de fils électriques nécessite de la prudence et de multiples précautions. Dans certains pays ou certaines régions, cette opération est régie

Planche 38
Les supports de fortune

A) Support en échelle

1- branche fendue à la base

2- allègement de la branche blessée par suppression de branches secondaires

3- fermeture de la plaie après installation du support

4- support en échelle

5- coussinet de caoutchouc et attache du support

B) Support en béquille

1- branche fendue à la base

2- stérilisation de la plaie

3- allègement de la branche blessée par suppression de branches secondaires

4- support en béquille

5- extrémité coussinée du support

Support de fortune dans une plantation

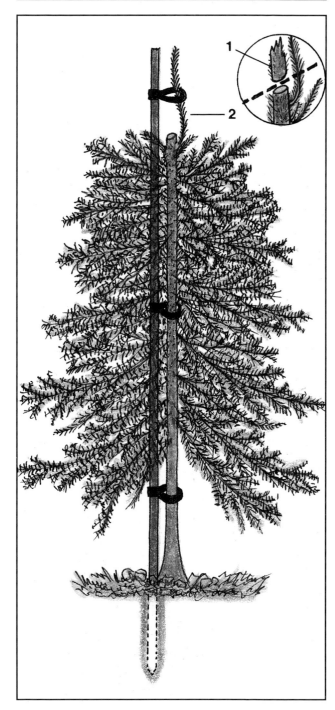

**Planche 39
Remplacement de la
tête cassée d'un
jeune arbre**

1- moignon
résultant de la
cassure de la tête et
à éliminer (coupe en
oblique près de la
branche latérale de
remplacement)

2- branche latérale
de remplacement

par des normes plus ou moins strictes qu'il est important de connaître et surtout d'appliquer.

Il existe plusieurs méthodes de dégagement des lignes de transmission. La planche 41 (page 119) en illustre deux qui se pratiquent par l'intérieur du feuillage : l'émondage en U et l'émondage en V. Elles visent à vous protéger de l'électrocution lorsque vous procédez à l'émondage par le truchement d'une nacelle ou par d'autres moyens. Ce type d'émondage doit toujours être effectué par des personnes compétentes, au moyen d'outils ou d'instruments spécifiquement isolés contre la haute tension.

Coupe réglementaire d'une branche près d'une branche latérale

Branche coupée trop haut au-dessus d'une branche latérale

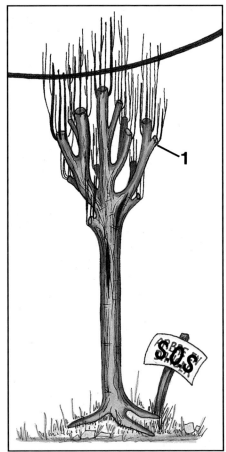

Rapprochement et consolidation de branches par haubans

Le rapprochement et la consolidation de deux ou de plusieurs fourches d'arbres requièrent une attention particulière. Plusieurs méthodes peuvent être appliquées. Il faut toujours considérer le diamètre des branches à rapprocher. Celles dont le diamètre est inférieur à 10cm peuvent être reliées par un cordage garni de renforts de caoutchouc ou d'un autre matériau de protection qui garantit l'arbre contre les blessures produites par la friction de la corde lors de violentes bourrasques. Après quelques années, lorsque la cicatrisation est complète et que les fourches sont bien soudées, on peut enlever ce type de hauban.

Les branches dont le diamètre est supérieur à 10 cm doivent subir un traitement préalable. Ainsi, il est nécessaire de nettoyer et de stériliser la plaie ou la fente avant de procéder au rapprochement des branches. Nous vous suggérons de

Planche 40
Émondage exagéré d'un arbre

1- branche de trop grand diamètre pour être coupée (coupe trop droite)

Émondage d'un Érable à la nacelle

Émondage exagéré des arbres sous les lignes de transmission

**Planche 41
Émondage des arbres sous les lignes de transmission**

1- émondage en U

2- émondage en V

3- nacelle de sécurité

4- coupe réglementaire (près de la branche maîtresse)

5- coupe non réglementaire (trop proche de la branche maîtresse)

6- coupe non réglementaire (trop éloignée de la branche maîtresse)

7- coupe trop horizontale (insuffisamment en oblique)

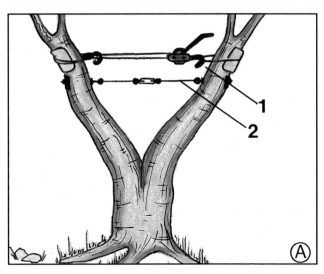

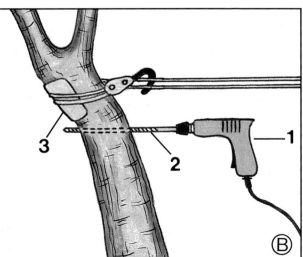

brûler partiellement les tissus ou de stériliser avec de l'alcool à 70° ou du permanganate de potassium et de l'eau de javel, après les avoir soigneusement nettoyés. Les branches dont le diamètre dépasse 20 cm sont très lourdes; il faudra donc les haubaner à une hauteur suffisante pour que la tension sur les branches suffise à retenir les fourches d'arbre. Plus les haubans sont placés haut, moins forte est la tension sur les diverses parties si, bien entendu, nous

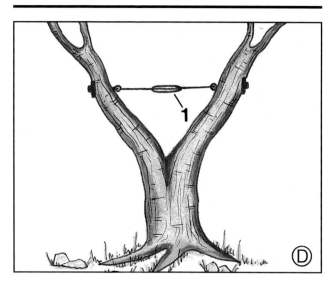

Planche 42
Rapprochement et consolidation de branches par haubans

C) 1- tenseur à vis relié au câble d'acier

2- câble d'acier

3- boulon à œillet

4- plaque d'acier et écrou

D) 1- hauban relié à un tenseur à boulons

tenons compte du diamètre de l'arbre à cette hauteur par rapport à l'installation et à la solidité du système et des branches.

- La première opération consiste à nettoyer la plaie et à la stériliser au moyen des produits mentionnés plus haut et dans la section «chirurgie» (page 137).

- La deuxième opération consiste à fixer un *tenseur,* ou cric, à chaque extrémité afin de rapprocher les deux branches et

En haut, à gauche :

Tenseur à vis resserrant les deux câbles d'acier

En haut, à droite :

Boulon à œillet

Ci-contre :

Plaque d'acier et écrou

Haubans rapprochant et consolidant les deux fourches d'arbre

refermer la plaie ou la fente à la base; il faudra protéger l'écorce par un matériau protecteur avant de rapprocher les branches.

- La troisième opération consiste à perforer les deux branches à la foreuse électrique, ou chignole, suivant le diamètre des boulons à œillets qui relieront les câbles.

- La quatrième opération consiste à installer des plaques de métal extérieure et intérieure reliées par les boulons à œillet. Pendant toute cette opération, il faut laisser le tenseur en place.

- Enfin, après avoir posé les câbles des haubans et vérifié la solidité des tenseurs à boulons, on peut enlever le tenseur à câble d'acier.

Il existe d'autres méthodes de haubanage, mais nous estimons que celle-ci est l'une des plus sécuritaires à la fois pour vous et pour la santé de l'arbre.

Recommandations à suivre avant tout émondage ou traitement

Avant de pratiquer une intervention chirurgicale sur un arbre malade, il faut d'abord s'assurer de la parfaite propreté des outils et ensuite de les stériliser après chacune des interventions pour prévenir toute *contamination* des arbres avoisinants. Il faut se garder de badigeonner les blessures avec des enduits à base d'émulsion d'asphalte, des peintures à base de solvants organiques comme la térébenthine ou d'autres produits analogues. Une plaie doit se cicatriser à l'air libre, si possible. Après l'intervention, les parties infectées et éliminées des arbres doivent être brûlées aussitôt. Si l'on applique des pesticides, il faut prendre toutes les précautions voulues pour ne pas être intoxiqué par ces substances souvent nocives. Si l'on vaporise le produit, il faut porter un masque et tenir compte de la direction du vent bien qu'il soit préférable de procéder lorsqu'il n'y a pas de vent. Lorsqu'on badigeonne, il faut enfiler des gants et se laver soigneusement les mains si celles-ci ont été en contact avec un pesticide. L'utilisation d'une tronçonneuse mécanique ou électrique requiert le port de vêtements et d'accessoires de protection : pantalon et bottes, gants de travail, lunettes ou visière.

MALADIES DU TRONC ET DE LA TIGE

PRINCIPAUX SIGNES RÉVÉLATEURS ET THÉRAPIE

Beaucoup de maladies attaquent d'abord le tronc, puis se propagent ensuite à l'ensemble du feuillage. Pour établir un diagnostic, il faut observer attentivement les manifestations, sur l'arbre, d'un désordre physiologique. Elles peuvent révéler l'existence d'une maladie interne ou externe; en ce dernier cas, la maladie est plus facilement discernable. Dans le but de faciliter le diagnostic, nous énumérons quelques signes qui trahissent la présence d'un agent pathogène :

• résinoses ou gommoses sur les troncs ou les tiges; ce sont des coulées de sève ou de résine qui s'agglomèrent à proximité de ou sur la partie affectée de l'arbre;
• des coulées ou suintements anormaux sur l'écorce;
• soulèvement, affaissement et coloration anormale d'une zone nettement délimitée sur l'écorce du tronc ou des branches;
• plaies ou lésions de tumeurs ou de chancres sur l'écorce;
• fructifications ou carpophores à l'aisselle des branches, sur une plaie à hauteur du tronc et à la base de l'arbre;
• rejets à la base ou sur le tronc;
• nanisme ou gigantisme au niveau de la tige et du tronc;
• coloration, flétrissure et mort des feuilles et des branches de l'arbre ou de l'arbuste.

Il existe quantité d'autres signes de l'existence d'un désordre physiologique, révélés par des insectes et des oiseaux, aussi doit-on demeurer vigilant et savoir les analyser pour établir un diagnostic exact.

Chancres du tronc et de la tige

D'après Aubé (1971), phytopathologiste au ministère de l'Agriculture du Canada, un chancre se définit comme une «maladie qui se manifeste par la nécrose d'une partie plus ou moins considérable du parenchyme cortical et résultant en une dépression plus ou moins prononcée et souvent délimitée par un cal». La planche 43 illustre quelques-uns de ces chancres et la façon dont ils se manifestent sur le tronc des feuillus et conifères.

Chancres du tronc et de la tige

1- *chancre eutypelléen* de l'Érable (notez les renflements et la déformation du tronc, en gueule de grenouille)

2- *chancre hypoxylonien* du Peuplier (notez les lésions verticales et horizontales sur l'écorce et la coloration anormale sur le pourtour du chancre)

3- *chancre nectrien* des feuillus (chancre en forme de cible)

4- *chancre cytosporéen* des conifères (notez la coulée de résine d'apparence bleuâtre sur le tronc)

5- *chancre apiosporinien* des Cerisiers (Gommoses et exsudation abondante de sève sur le tronc)

6- *rouille vésiculeuse* du Pin blanc (Pustules de couleur jaunâtre à orangée ou saumonée sur le tronc et à l'aisselle des branches)

7- Le Groseiller et le Gadelier sont des hôtes intermédiaires dans le développement complet de la rouille vésiculeuse du Pin blanc

8- *chancre poréen* des Bouleaux (notez la présence d'une fructification noire qui s'effrite en petits morceaux de forme rectangulaire lorsqu'on frotte vigoureusement la masse)

9- *pourridié-agaric,* champignon supérieur qui s'attaque à la base de l'arbre pour ensuite s'étendre sous l'écorce par des *rhizomorphes*

10- carie et pourriture de l'arbre par des polypores qui se développent souvent sur des blessures ou des chancres du tronc pour ensuite pénétrer à l'intérieur de l'arbre et y installer leur mycélium

11- chancres *scléroderrien* du Pin (notez la coloration vert brillant sous l'écorce attaquée par le chancre)

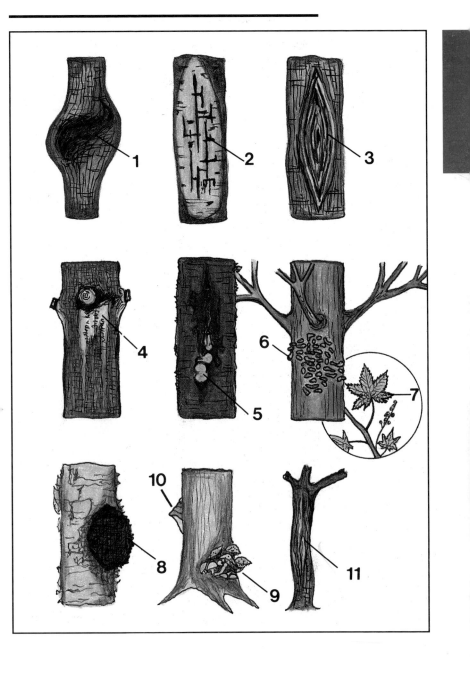

En haut, à gauche :

Chancre eutypelléen de l'Érable (gueule de grenouille)

En haut, à droite :

Chancre hypoxylonien du Peuplier

En bas à gauche :

Chancre nectrien sur Peuplier

En bas à droite :

Fructifications du chancre nectrien

En haut, à gauche :

Chancre cytosporéen sur Épinette

En haut, à droite :

Pin blanc affecté par la rouille vésiculeuse

Ci-contre :

Fructifications de la rouille vésiculeuse sur l'écorce d'un Pin blanc

Ci-contre :

Fructifications de la rouille vésiculeuse sur une feuille de Gadelier, l'hôte intermédiaire

En bas, à gauche :

Chancre poréen du Bouleau

En bas à droite :

Pourridié-agaric sur Peuplier

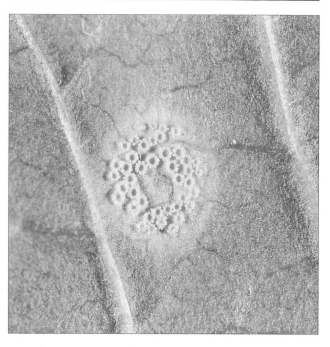

En haut, à gauche :

Carie et pourriture de l'arbre causée par un polypore; ici la carie blanche madrée

En haut, à droite :

Détails de la carie blanche madrée

En bas, à gauche :

Chancre scléroderrien sur Pin

En bas, à droite :

Affaissement de l'écorce d'un Frêne causé par un début de chancre cytosporéen.

En haut :

Bouleau atteint de carie brune madrée.

Ci-contre :

Tête d'Érable atteinte de carie blanche spongieuse.

Ci-contre :

Détail d'une carie blanche du tronc

Ci-dessous :

Base du pied d'un Saule atteinte de carie blanche.

Thérapie

Les parties de l'écorce atteintes d'un chancre doivent être enlevées et nettoyées au moyen de produits efficaces comme l'alcool à plus de 70°, le permanganate de potassium, l'eau de Javel, etc. Mais nous avons obtenu les meilleurs résultats en brûlant les parties malades à la torche au propane, traitement qui a été suivi d'une bonne cicatrisation et de la disparition de la maladie. Les instruments qui servent à faire les opérations de chirurgie doivent, eux aussi, être soigneusement désinfectés.

Pourriture et carie du tronc

La surveillance incessante de l'état de santé des arbres est un bon atout dans la prévention des *maladies infectieuses.* Des fructifications souvent microscopiques ou macroscopiques peuvent apparaître sur diverses parties du tronc des arbres et révéler par des signes un désordre physiologique parfois profond. Ces fructifications qui causent des pourritures et des caries appartiennent à des groupes particuliers de champignons parasites. Malheureusement, lorsqu'on découvre la fructification, ou carpophore, c'est parce que la plupart du temps, l'intérieur du tronc est gravement atteint et, de ce fait, il est plus difficile, sinon inutile, de traiter le sujet. Cependant, si l'on peut déterminer l'ampleur des dégâts internes au moyen de sondes comme le *Shigometer* ou la *tarière de Pressler,* certaines interventions chirurgicales demeureront possibles. L'enlèvement des fructifications suivi de leur destruction systématique se révèle une des mesures efficaces pour limiter la dissémination des spores des champignons parasites et empêcher ainsi la propagation des maladies sur les arbres des alentours.

Les champignons parasites des arbres sont lignivores; autrement dit, ils se nourrissent de matières ligneuses telles que le bois. En se développant à l'intérieur même du tronc, ces champignons provoquent des caries ou pourritures. Si l'on coupe le tronc de certains arbres, on peut constater deux sortes d'altérations causées par les champignons lignivores : la coloration du bois et les pourritures. Sur des arbres abattus et fendus, on peut également observer des pourritures cubiques, fibreuses, alvéolaires et tubulaires. Les champignons lignivores qui décomposent les celluloses du bois rendent celui-ci friable tout en lui communiquant

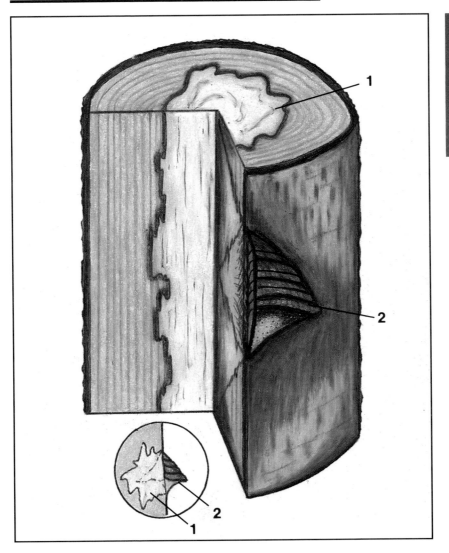

une teinte brunâtre; ce résultat se nomme la *carie brune*. Les pourritures d'apparence fibreuse sont causées par des champignons qui dégradent les lignines du bois qui devient mou et fibreux en acquérant une teinte blanchâtre dite de *carie blanche*. D'autres champignons lignivores attaquent à la fois les celluloses et les lignines. Des pourritures ou caries alvéolaires ou tubulaires se manifestent alors, par petites plages ou îlots concentrés, au travers et dans le sens des fibres du bois.

Planche 44
Pourriture et carie du tronc

1- pourriture blanche du bois

2- fructification ou carpophore du champignon lignivore

Carie brune cubique

À gauche :

Carie blanche fibreuse

À droite :

Carie blanche alvéolaire

Comment savoir si un arbre ou un arbuste est encore vivant

Beaucoup d'horticulteurs amateurs se demandent très tôt au printemps si le jeune arbre ou arbuste qu'ils ont planté est encore vivant. Outre l'examen attentif des bourgeons, une autre méthode consiste à pratiquer une petite incision sur le tronc. S'il y a présence de tissu vert correspondant à la zone du cambium, c'est signe que l'arbre ou l'arbuste est encore

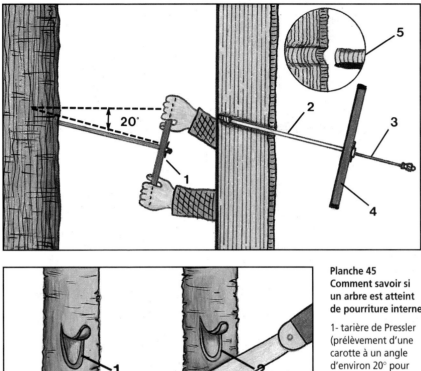

**Planche 45
Comment savoir si
un arbre est atteint
de pourriture interne**

1- tarière de Pressler
(prélèvement d'une
carotte à un angle
d'environ 20° pour
éviter que l'eau ne
pénètre dans le tronc
et pour faciliter la
lecture des anneaux
annuels de croissance)

2- sonde ou tire-
bouchon

3- extracteur de
carottes

4- poignée

5- carotte montrant
les anneaux annuels
de croissance

**Planche 46
Comment savoir si un
arbre ou un arbuste
est encore vivant**

1- tige morte : zone
cambiale brunâtre

2- tige vivante : zone
cambiale bien verte
et vigoureuse

vivant. L'existence d'une zone brunâtre ou noirâtre indique qu'il y a mort des tissus. Néanmoins, certaines tiges peuvent être encore vivantes même si les ramifications sont mortes. Vous devrez alors tailler les ramifications mortes pour favoriser une nouvelle repousse sur la tige saine.

Chirurgie du tronc d'un arbre

En suivant attentivement les règles de sécurité prescrites au début, vous pourrez tenter une intervention si toutefois l'arbre n'est pas trop détérioré par une pourriture interne. Les petites caries peuvent être nettoyées au moyen d'un couteau ou d'une hachette stérilisé. Vous devez éliminer toute la pourriture jusqu'au bois sain. La stérilisation par brûlage à l'aide d'une torche au propane devrait suffire à

Shigometer

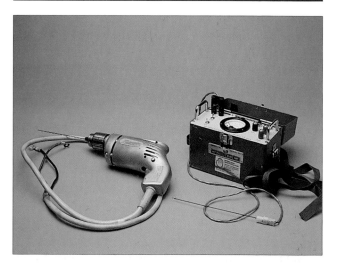

Tarière de Pressler

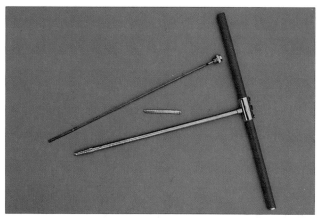

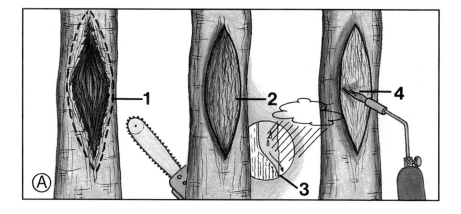

détruire les restes de mycélium ou les spores sur le tissu traité. La cavité ainsi créée doit sécher à l'air libre et ne pas retenir d'humidité à sa base. Faites une vérification mensuelle de l'état du tronc et de la cicatrisation. Si vous vous apercevez que la plaie s'infecte, il faut cautériser de nouveau la plaie à la torche, puis la badigeonner avec un désinfectant ou un fongicide. Les chirurgies plus importantes doivent se faire à la tronçonneuse mécanique ou électrique pour bien vider et nettoyer la plaie. Désinfectez celle-ci après l'opération, car il est très difficile de stériliser la lame d'une tronçonneuse. Une cavité profonde et bien nettoyée doit demeurer à l'air libre jusqu'à l'assèchement complet des tissus, soit environ 3 à 4 jours. Pendant ce temps, veillez à bien haubaner l'arbre ou à lui assurer un support suffisant; en effet, le vent pourrait l'abattre parce que sa résistance mécanique n'est plus ce qu'elle était. Après ces quelques jours de séchage, garnissez l'intérieur de la plaie de clous galvanisés et d'un grillage pour renforcer le ciment ou le béton qui scelleront la cavité. Cette opération de remplissage n'a d'autre but que de redonner à l'arbre sa résistance mécanique d'origine. La cavité doit être recouverte de ciment et on l'étendra en quartier de lune pour parer le mieux possible à la rétention d'eau. Un examen automnal ou printanier est nécessaire, car le ciment ou le béton se contractent en séchant, ce qui crée un jour entre les tissus de l'arbre et l'enduit lui-même. En brûlant de nouveau le pourtour, on chasse l'humidité; on peut ensuite rendre la cavité étanche en y appliquant une pellicule de calfeutrant au choix. Il faut s'attendre à ce que certaines chirurgies soient impuissantes

**Planche 47 A et B
Chirurgie du tronc
d'un arbre**

A
1- plaie béante et pourriture interne du tronc

2- plaie vidée

3- angle de coupe à respecter pour garantir un bon drainage de la plaie nettoyée

4- désinfection de la plaie par brûlage à la torche

B
5- clous galvanisés destinés à retenir le ciment

6- grillage métallique servant d'armature au ciment

7- plaie nettoyée et recouverte de ciment pour rendre au tronc sa résistance mécanique d'origine

8- pansement de ciment ou de béton en quartier de lune

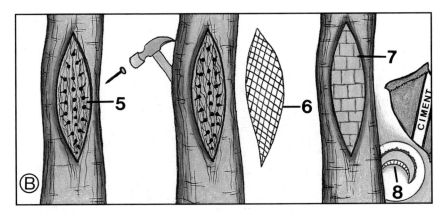

à enrayer la progression de la pourriture interne. L'arbre, tout comme l'homme, est un être vivant qui peut être malade et en mourir. La réussite dépend en grande partie de la vitalité de l'arbre. Les cavités situées à la base des arbres réclament un traitement analogue assorti des mêmes précautions. Détruisez tous les résidus de l'opération en les brûlant aussitôt.

Nettoyage d'une plaie à la tronçonneuse

Brûlage de la cavité à la torche au propane

En haut, à gauche :

Cavité nettoyée et désinfectée

En haut, à droite :

Application d'un grillage métallique et de clous galvanisés en guise d'armature pour le ciment ou le béton

Ci-contre :

Remplissage de la cavité avec du ciment ou du béton

Cavité remplie

Remplissage d'une cavité à la base d'un arbre

Cavité remplie de ciment ou de béton

Planche 48
Chirurgie de la base d'un arbre

1- plaie béante à vider et à nettoyer

2- plaie vidée et désinfectée

3- application d'un pansement de ciment ou de béton pour redonner à l'arbre sa résistance mécanique

1   2   3

N° de l'arbre traité : _____

Date de la chirurgie : _____

Endroit ou le lieu : _____

Ville, comté : _____

Type de matériau utilisé : _____

Recommandations : _____

FICHE TECHNIQUE DE RENSEIGNEMENTS POUR CHAQUE CHIRURGIE D'ARBRES

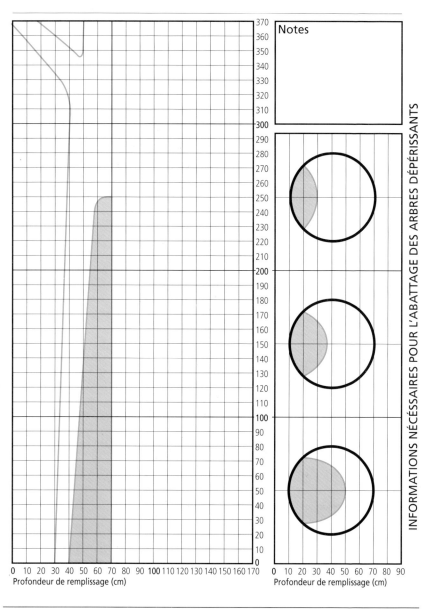

Notes

Profondeur de remplissage (cm)

Profondeur de remplissage (cm)

INFORMATIONS NÉCÉSSAIRES POUR L'ABATTAGE DES ARBRES DÉPÉRISSANTS

Pourridié-agaric

Des fructifications de champignons peuvent apparaître au pied des arbres, c'est-à-dire au niveau du collet. Or, plusieurs de ces champignons, ainsi que certaines bactéries, causent une pourriture du collet. En grattant l'écorce, on peut constater les dégâts faits soit par le mycélium du champignon, l'Armillaire ou autre, soit par une bactérie (tumeur du collet). Le mycélium blanc et d'aspect cotonneux de l'Armillaire est bien visible sous l'écorce d'autant plus que de longs filaments brun foncé à noir (rhizomorphes) parcourent la surface du bois sous l'écorce et se distinguent aisément à l'œil nu. Malheureusement, lorsqu'on voit les carpophores et les rhizomorphes, c'est que l'arbre est gravement atteint sinon irrécupérable. Les arbres affaiblis sont très vulnérables au pourridié-agaric. D'autres manisfestations comme la coloration du feuillage, les chloroses, les dépérissements, la chute prématurée des

Planche 49
Pourridié-agaric

1- rhizomorphes sous l'écorce et à la surface du bois

2- fructifications de l'Armillaire

3- fructifications de l'Armillaire et ses effets à la surface du bois par les coussinets mycéliens

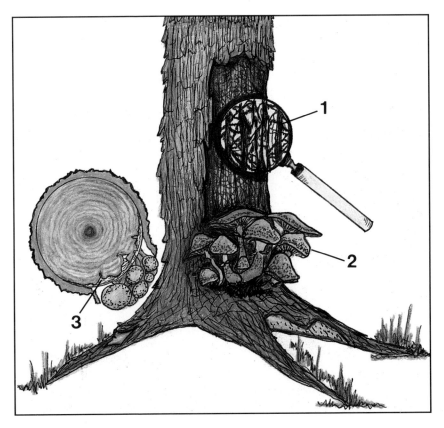

aiguilles ou des feuilles, etc., peuvent être le signe de désordres physiologiques importants au niveau des racines et du collet des arbres atteints. Il est très difficile d'enrayer la propagation de ce champignon. Il existe plusieurs espèces d'Armillaires qui vivent en saprophytes, ou parasites, et causent le pourridié-agaric; par cela même, ils sont présents et endémiques surtout en forêt.

Fructification de l'Armillaire couleur de miel responsable du pourridié-agaric

Rhizomorphes sous l'écorce d'un Érable

Thérapie
Vous pouvez prendre certaines mesures pour éviter
l'infection par le pourridié-agaric. À l'achat de jeunes
arbres, inspectez les racines, dans les récipients, pour voir
s'il ne s'y trouve pas de coussinets mycéliens ou de
sections de rhizomorphes. Au moment de les planter,
répartissez et dégagez les racines pour qu'elles ne
s'agglomèrent pas, surtout celles des conifères. Détruisez
aussi les souches qui pourraient contenir du mycélium, soit
en les brûlant, soit en les traitant avec un composé à base de
borax ou autre. Le choix de l'*essence,* sa vigueur, un sol
bien aéré et bien fertilisé, des racines bien réparties et
saines que vous aurez protégées de toute blessure lors du
transport et au moment de la plantation sont des mesures de
prévention très efficaces contre le pourridié. Si le
champignon est déjà présent et que les dommages qu'il a
causés sont minimes, vous pouvez combattre ses effets en
nettoyant bien la partie infectée et en la brûlant à la torche
au propane. L'enlèvement et le brûlage des parties et des
racines infectées sont des moyens de lutte très adéquats
contre la maladie. Vous pouvez également utiliser des
fongicides spécifiques qui inhiberont la maladie et sa
propagation (voir Tableau 6, page 172). Enfin, surveillez
étroitement les arbres transplantés pour suivre leur
évolution et repérer les anomalies qui pourraient
contrecarrer leur croissance.

Tumeurs, rejets et fasciculations sur le tronc
La plupart des arboriculteurs ne se préoccupent pas des
tumeurs qui croissent sur le tronc des arbres. Avec raison,
car il est souvent impossible de faire disparaître ces
excroissances sans enlever des parties importantes de
l'arbre, ce qui, de notre point de vue, le conduirait à une
mort presque certaine. Aussi, lorsqu'on fait allusion à
l'ablation d'une tumeur, il faut d'abord considérer son
volume et l'espace qu'elle occupe sur le tronc. Une tumeur
qui couvre la moitié du tronc doit être laissée en place
pendant toute la vie de l'arbre. Si la tumeur est petite, on
peut alors l'enlever en procédant toujours suivant les règles
mentionnées plus haut. En ce qui concerne les
fasciculations de branches provenant de rejets sur le tronc
ou sur des tumeurs, il nous semble préférable d'en faire
l'ablation dans la mesure où l'arbre n'en est pas trop

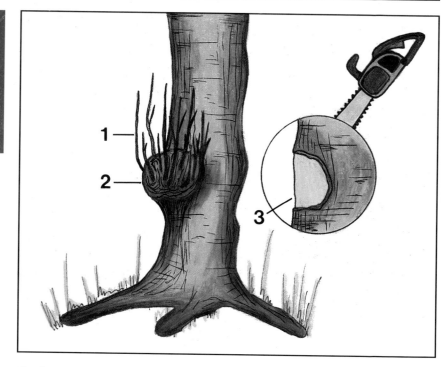

**Planche 50
Tumeurs, rejets et
fasciculations sur le
tronc**

1- rejets au-dessus
d'une tumeur

2- tumeur

3- ablation de la
tumeur et des rejets

affecté. Nous ne connaissons pas avec certitude les causes de ces développements anarchiques. Certains phytopathologistes présument qu'ils sont le résultat de traumatismes infligés par le froid, de chocs tels que des blessures, ou sont causés par des acariens, des bactéries ou peut-être même des champignons. Quoi qu'il en soit, ces excroissances ligneuses sont de magnifiques portes d'entrée pour les champignons de carie. Les petites tumeurs, ainsi que les petites fasciculations devront être éliminées sur les tiges, les troncs ou les branches. Leur ablation définitive et une surveillance permanente permettront de réduire considérablement l'action néfaste des agents pathogènes, car ces tumeurs et ces fasciculations entretiennent des conditions favorables à l'égard de tout agent qui pourrait dans le futur affecter le développement sain d'un arbre.

Rejets à la base de l'arbre

De nombreux facteurs entrent en jeu dans les cas de rejets situés à la base d'un arbre. Ce sont souvent des traumatismes infligés par l'environnement immédiat de

À gauche :

Rejets sur une petite tumeur

À droite :

Tumeur sur une partie du tronc

Tumeur circonscrivant le tronc

l'arbre : le déneigement, le déglaçage chimique, la pollution, les blessures, etc. En tout cas, ces rejets sont de bons indicateurs de troubles physiologiques surtout si cela concerne un jeune arbre transplanté au cours des années précédentes. Il faut reconnaître que de nombreuses espèces rejettent avec facilité. Nous n'en voulons pour exemple que les Cerisiers, certains Érables, les Bouleaux, les Peupliers et bien d'autres encore. Il est donc difficile de se débarrasser définitivement de ces rejets qui nécessitent deux ou trois interventions en période estivale, et cela sur plusieurs années, jusqu'à ce que l'arbre ait réagi favorablement au stress et qu'il ait suffisamment vieilli. L'ablation de ces rejets à la base permet de réserver plus de substances nutritives à la tige maîtresse soumise au stress. C'est pour cette raison que beaucoup d'arboriculteurs les suppriment dès qu'ils font leur apparition. Les jeunes arbres qui ont été plantés trop profondément dans le sol, c'est-à-dire au-dessus de la zone du collet, font très facilement des rejets, car la tige principale finira par mourir. On peut considérer cela comme un trouble physiologique ou l'asphyxie à la base de l'arbre. Des racines endommagées ou malades sont également la cause de rejets. Tout bien considéré, les rejets sauvent en réalité la vie de l'arbre. En effet, si on considère que dans certains cas, la tige principale se meurt et ne peut être sauvée, il suffit de choisir un rejet parmi ceux que l'on aura veillé à laisser vivants les années précédentes et de le destiner à remplacer la tige principale morte et éliminée. Ce faisant, nous perpétuons la vie de l'arbre. Un examen attentif de la base de bien des jeunes arbres tranplantés qui forment des rejets nous révèle souvent l'existence de deux agents pathogènes courant, les chancres nectrien et cytosporéen des feuillus qui annellent le collet et la base de l'arbre. On doit alors brûler partiellement la tige coupée ou le moignon en veillant à épargner les tissus des rejets choisis pour le remplacement. Pour terminer le tout, une bonne fertilisation et des soins annuels devraient suffire à assurer la croissance normale de la nouvelle tige.

Gélivures du tronc
Dans les régions situées plus au nord, certains traumatismes résultent du froid intense suivant ou précédant des périodes de réchauffement qui surviennent au cours des hivers. Le fendillement de l'écorce ou son

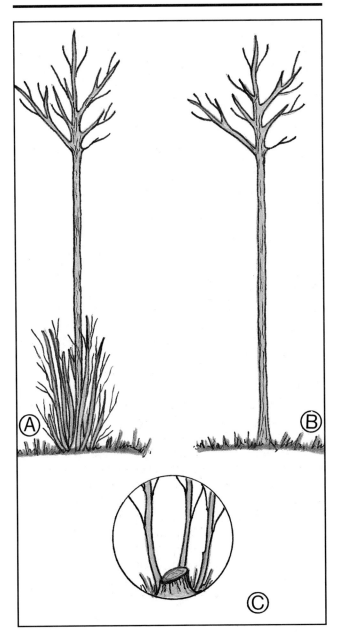

Planche 51
Rejets à la base de l'arbre

A- jeune arbre transplanté avec rejets à la base

B- arbre débarrassé de ses rejets

C- une des tiges (la plus grosse ou la plus saine) qui peut servir à remplacer la tige maîtresse

éclatement, ainsi que les gélivures, s'ajoutent aux autres cas de stress infligés par le gel et le dégel. Il nous semble difficile de traiter cela sinon en assurant une fertilisation adéquate au cours des saisons chaudes pour favoriser la

lignification complète des tissus. Certains arboriculteurs soignent les gélivures, en particulier dans le cas de jeunes arbres ornementaux, en fixant une vis à travers la tige pour forcer le rapprochement des deux parties blessées. Nous estimons, quant à nous, que la nature répare d'elle-même ce type de blessure. Vous observerez fréquemment l'existence de cicatrices étroites sur le tronc qui ont souvent une longueur étonnante. Il s'agit d'anciennes gélivures cicatrisées au cours des années. Une fertilisation adéquate, des examens annuels, des arrosages faits en temps et lieu nous semblent la meilleure forme d'intervention que l'on puisse faire. L'arbre, s'il est suffisamment vigoureux, se restaurera de lui-même.

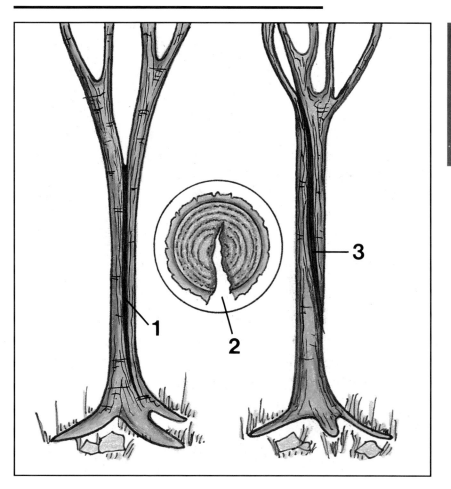

Abattage d'un arbre à la tronçonneuse

Pour plusieurs, l'abattage d'un arbre n'est qu'une opération très simple. Chez d'autres, moins habitués à ce genre de tâche, l'appréhension fait des maladresses qui pourraient, en bien des cas, créer des problèmes sérieux. Il est donc important de mettre tous les atouts de son côté. Commençons par l'équipement de sécurité : vous devez porter un chapeau conforme aux normes de sécurité ainsi que des chaussures et des gants résistants. Il existe également des pantalons, des vestes et des lunettes ou visières de sécurité qui sont particulièrement indiqués pour ce genre de travail.

Planche 52
Gélivures du tronc

1- gélivure droite

2- gélivure vue en coupe transversale

3- gélivure spiralée

Avant d'abattre un arbre, examinez son inclinaison par rapport à ce qui se trouve à proximité. Si l'arbre penche du côté de la maison, prenez les précautions voulues pour qu'il n'abîme pas la toiture en tombant et faites-vous aider par d'autres personnes. N'abattez pas d'arbres placés sous des lignes de transmission, c'est trop dangereux. Faites plutôt appel à des gens compétents qui ont le matériel requis pour cette manœuvre. Enfin, choisissez une journée sans pluie et sans vent. Vous augmenterez les chances de réussite si vous respectez ces quelques conditions.

L'abattage se fait en trois phases. Sciez d'abord la base du tronc sur un tiers de son épaisseur du côté de la chute de l'arbre. Faites ensuite un deuxième trait de scie en biais, que vous prolongerez jusqu'à l'extrémité du premier pour former l'entaille qui affaiblira l'arbre du côté où vous voulez qu'il tombe. Le troisième trait de scie doit se faire plus haut que l'angle formé par l'entaille et doit rejoindre celle-ci. Vous donnerez alors une poussée à l'arbre afin de

l'aider à tomber sur le sol. Ici encore, il est préférable de vous faire aider. Il est nécessaire de couper la souche le plus près possible du sol et de la détruire dès que faire se peut.

Destruction des souches

Une souche après abattage constitue un milieu favorable de développement pour certains champignons pathogènes. Il faut donc l'éliminer surtout si de jeunes arbres ont été plantés tout près dans le but de remplacer celui ou ceux qui ont été abattus. C'est d'autant plus dangereux s'il s'agit d'essences identiques qui deviennent par le fait même plus vulnérables aux agents pathogènes. Beaucoup de techniques ont été pratiquées par le passé. L'une d'elles est l'essouchage qui consiste à enlever entièrement la souche en la déracinant. C'est de loin la meilleure méthode, mais c'est la plupart du temps la plus coûteuse. On peut aussi percer plusieurs trous dans une souche à l'aide d'un foret d'un diamètre assez gros et y verser une solution de borax, ou la traiter avec des phytocides comme les 2.4 - Dester, Silvaprop, Tordon 101 ou Ammate - X, NI. Un phytocide est une substance de nature chimique ou biologique spécialement conçue pour tuer les plantes nuisibles. Certains de ces produits peuvent également servir à détruire les rejets autour de la souche. D'autres moyens ont été expérimentés pour se débarrasser des débris, en particulier

Planche 53
Abattage d'un arbre à la tronçonneuse

1- premier trait de scie donné à la tronçonneuse

2- trait de scie en biais pour former l'entaille

3- trait de scie final pour sectionner entièrement le tronc

4- abattage à déconseiller par vent trop fort

5- ne pas abattre un arbre à proximité de fils électriques sans avoir l'expérience et le matériel nécessaires

6- une échelle d'aluminium à proximité de lignes de transmission est un danger potentiel

7- s'entourer de précautions avant d'abattre un arbre situé près d'une maison

Destruction des souches

1- souche à éliminer

2- fructification de champignons pathogènes pouvant se développer sur une souche à l'abandon

3- porte d'entrée idéale pour l'agent pathogène si le jeune arbre est transplanté près d'une souche déjà infectée.

4- après quelques années de voisinage avec la souche porteuse, l'apparition de chancres peut survenir sur le tronc à la suite de la contamination

des souches après exploitation forestière, afin de freiner la propagation du pourridié-agaric et de la maladie du rond. Les substances utilisées sont la poudre de borax que l'on saupoudre sur les souches et le nitrate de sodium; ce dernier est toxique et, si son emploi se révèle absolument nécessaire, doit être manipulé et utilisé avec précaution. D'autres produits comme la chaux hydratée mélangée à du soufre (bouillie bordelaise ou soufrée) et saupoudrée sur des souches coupées à ras du sol contrecarrent le développement des champignons parasites. Enfin, la dernière technique consiste à brûler la souche. Cela peut être efficace à moins que les racines ne drageonnent comme c'est le cas pour plusieurs espèces de peupliers et beaucoup d'autres essences.

Blessures dues à un agent mécanique

Toute blessure infligée à un arbre constitue un terrain propice d'invasion pour les agents pathogènes. En conséquence, il faut réparer et nettoyer soigneusement ces blessures avant qu'elles ne puissent s'infecter. Il va de soi

Fructifications de champignons sur une souche non détruite

Souche à détruire

que la prévention demeure un atout majeur pour la santé des arbres. En conclusion de ce chapitre, les photos suivantes illustrent les principaux traumatismes dont sont affligés les arbres dans les boisés, les parcs, etc.

Empreinte de vis marquée par le temps dans le bois de l'arbre (coupe transversale du tronc).

Une bonne idée

Graffiti sur un arbre

Ci-dessus :

Fentes verticales faites avec un couteau

En haut, à gauche :

Utilisation irréfléchie et blessures consécutives infligées aux arbres

Au centre :

**À ne pas faire.
La branche mourra par strangulation.**

Ci-contre :

Le nivellement de terrains et le terrassement infligent parfois de graves blessures aux arbres

Ci-contre :

Blessure causée par les souffleuses à neige à la base d'un arbre

En bas, à gauche :

Blessure infligée au tronc par un camion

En bas, à droite :

Bouleau dont l'écorce a été arrachée

MALADIES DU SYSTÈME RACINAIRE

CAUSES ET THÉRAPIES

Exposition trop longue des racines à l'air libre
Tout comme celles du tronc et de la cime, les causes des maladies du système racinaire sont tellement nombreuses que nous devons nous limiter aux agents principaux qui affectent ce système. Mentionnons toutefois que les traumatismes d'ordre mécanique ou physique sont probablement la source la plus importante de troubles physiologiques qui, par la suite, entraînent des problèmes pathologiques. La nature et la texture du sol sont des facteurs importants. L'asphyxie des racines est souvent causée par un sol mal drainé, trop imperméable ou par un excès d'eau. Le déversement de substances polluantes et l'application inconsidérée d'engrais et de pesticides pour pelouses à proximité des arbres sont devenus des problèmes courants qu'il ne faut pas oublier. Dans les parcs, le piétinement et l'usure du sol mettent à nu des racines et les blessent gravement; bien d'autres formes de stress, pour ne nommer que celles-là, sont également infligées aux racines des arbres.

Thérapie
Vous devez protéger ces racines en traçant des sentiers qui soient suffisamment éloignés des arbres, ou encercler d'une clôture les arbres à protéger. Vous pouvez aussi ajouter de la terre et la couvrir de pierre concassée pour former un coussin protecteur sur les racines qui risquent d'être blessées par le piétinement. Veillez toutefois à ne pas étouffer la base de l'arbre; n'étendez qu'une fine pellicule de terre et de pierre que vous amincirez graduellement jusqu'au tronc de l'arbre.

**Planche 55
Exposition trop
longue des racines à
l'air libre**

A) 1- racines trop
longtemps exposées
à l'air et déterrées
par le piétinement

2- blessure infligée à
une racine et sujette
à l'infection par des
champignons
pathogènes

B) 1- fond rocheux

2- terrassement et
nivellement

3- base constituée
de sciure ou d'un
autre matériau
sableux équivalent

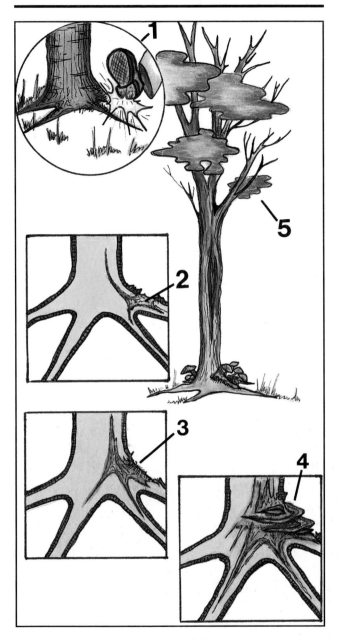

**Planche 56
Propagation d'une
carie de la racine à la
suite d'une blessure**

1- blessure infligée à
l'arbre par le
piétinement

2- pénétration et
inoculation de
l'agent pathogène
dans l'une des racines

3- la propagation de
la carie ou pourriture
atteint l'une des
racines importantes
et nécessaires à la
stabilité de l'arbre

4- pénétration et
propagation de la
carie dans le tronc
après infection du
réseau racinaire et
apparition des
carpophores du
champignon

5- arbre affecté par
la carie, il s'en suit un
dépérissement de la
cime

Nivellement et terrassement de terrain

Faire le nivellement d'un terrain, c'est en égaliser la surface; quant au terrassement, c'est une opération qui consiste à creuser et à déplacer de la terre sur un terrain. Le nivellement et le terrassement d'un terrain déjà aménagé nécessitent certaines précautions pour ne pas perdre des arbres qui y croissent depuis bon nombre d'années. Vous devez leur procurer une aération et une alimentation en eau suffisantes et, si vous devez surélever le terrrain, assurez-vous de ne pas étouffer les troncs. Nous vous proposons ici des puits d'aération qui contribueront à garder les arbres en bonne santé. Ces puits comportent des galeries de drainage du système racinaire afin d'éviter une rétention inutile d'eau qui entraînerait l'asphyxie et la pourriture des racines. Ils peuvent être fabriqués au moyen de tuyaux de béton, de grès ou encore de matière plastique comme les tuyaux de drainage agricole. Le système doit être de forme hexagonale ou du moins installé en rayons autour de l'arbre. L'apport de pierre concassée facilite l'écoulement de l'eau et l'aération des racines. Il ne faut pas que le sol soit en contact avec le collet situé à la base de l'arbre, car une pourriture pourrait s'installer à la base et anneler le tronc. Les planches et les photos qui suivent vous aideront à réaliser ces puits d'aération. Vous pourrez ensuite en toute quiétude égaliser ou niveler le terrain et l'aménager à votre goût.

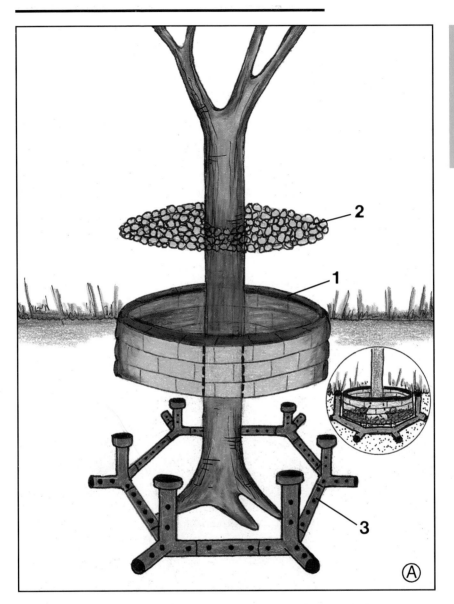

A

1- puits d'aération fait de briques

2- pierre concassée

3- tuyaux d'aération et de drainage autour des racines

Planche 57
Nivellement et
terrassement de
terrain

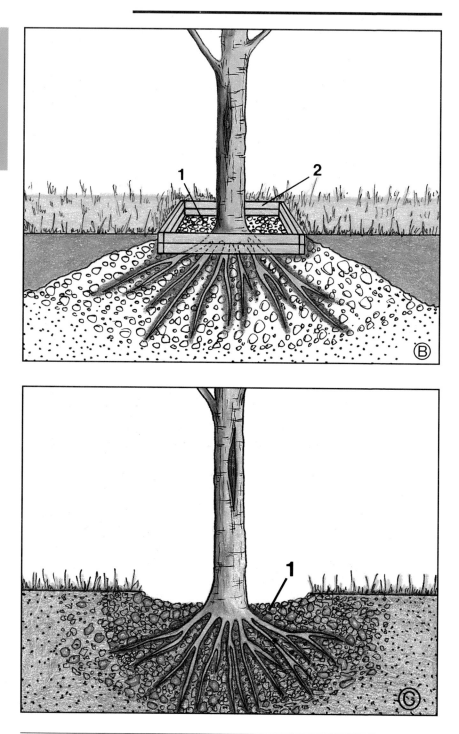

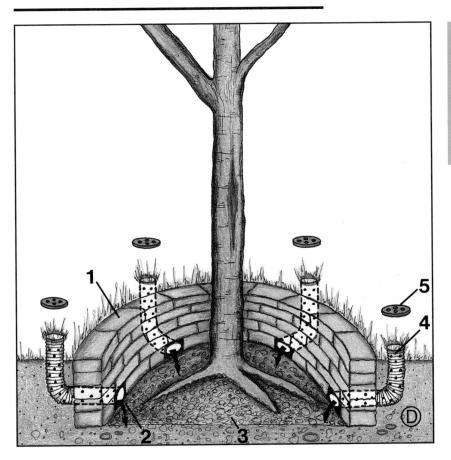

B

1- pierre concassée

2- puits d'aération en bois, de facture simple, destiné aux terrassements

C

1- forme en cuvette avec addition de pierre concassée pour très petit terrassement; ne pas couvrir la base du tronc

D

1- puits fait de briques ou de pierres entassées

2- bouche d'aération et de drainage permettant au système racinaire de respirer sans inconvénient. Les bouches d'aération se situent sous le dépôt de pierres concassées

3- pierre concassée, de préférence d'origine calcaire

4- tuyau d'aération et de drainage en béton, en grès, en matière plastique

5- couvercles sur les bouches d'aération (facultatif)

Puits d'aération fait
de pierres entassées

Petit puits
d'aération en bois
pour de petits
terrassements

Puits d'aération en pierre pour un groupe d'arbres

Petit puits d'aération en bois sur terrain en pente

PESTICIDES, ANTIBIOTIQUES ET ANTISEPTIQUES D'USAGE COURANT

AVERTISSEMENT

Avant d'utiliser des pesticides, lisez attentivement les recommandations du fabricant. Appliquez ensuite ces recommandations à la lettre. Vous devez employer ces produits avec parcimonie et ne le faire qu'en cas d'extrême nécessité pour ne pas nuire à l'environnement.

UN ENTRETIEN RÉGULIER DE VOS ARBRES ET ARBUSTES ET DES SOINS ADÉQUATS VOUS PERMETTRONT DE VOUS EN PASSER.

Certains de ces pesticides peuvent disparaître du marché, mais ils sont généralement remplacés par d'autres. Renseignez-vous sur ces nouveaux produits et notez leur nom et leurs caractéristiques dans les pages réservées à vos notes personnelles à la fin de cet ouvrage.

Pour informer l'utilisateur de ce livre, nous fournirons des renseignements sur la formulation des pesticides pour le Canada, les États-Unis et autres pays qui ont adopté le code international.

Fongicides

Les étiquettes des flacons ou des boîtes mentionnent souvent des chiffres et des lettres à côté du nom du pesticide. Ces chiffres et ces lettres ont une grande importance : ils indiquent soit la composition chimique du pesticide, soit la proportion d'agent actif qu'il contient. Citons en exemple le Captan, un fongicide d'utilisation courante. Rappelons en passant que les fongicides sont des substances chimiques spécialement conçues pour inhiber le développement et la multiplication des champignons. Sur le marché, on trouve le Captan sous différents noms et en concentrations variables : Captan 50-W ou Captan 50% WP.

Dans ces deux formulations, *Captan* est la marque de commerce, *50%* représente sa concentration et WP signifie qu'il est vendu sous forme de poudre soluble dans l'eau (*Wettable Powder*).

Tableau 6

Noms des fongicides	Autres noms	Usages	Types de produi
Arbotect 20-S		C	LI
Benomyl	Benlate	C-D	PS
Bouillie bordelaise	Bordeaux mixture, Bordo, Copper Bordo	D	PO
Bouillie soufrée	Sulfur, Lime, Sulfur solution	D	PO
Captan	Captan fungicide, Orthocide, Captan dust, Orthocide dust	C-D	PO-SV-PS
Chlorothalonil	Daconil 2787 Bravo	C-D	PS
Dexon	Fenaminosulf	C	PS-GR

LES FONGICIDES

fections cibles	Commentaires
Maladie hollandaise de l'Orme	Fongicide systémique soluble en injection dans le tronc
Moisissure grise, blanc des Pins, gale bactérienne (Pommetiers, Aubépines, Marronniers), anthracnose (Noyers)	Fongicide systémique
Tavelure du Pommier, anthracnose, mildiou, carie brune, brûlure bactérienne, taches des feuilles	Composé formé d'une quantité égale de sulfate de cuivre (2g/l) et de chaux hydratée (2g/l) ou plus concentré (8 g/l)
Maladies de la tige ou du tronc, brûlure des dards, anthracnose, tache noire, blancs, rouilles	Composé formé d'une quantité égale de soufre et de chaux hydratée
Pourriture des racines, moisissure grise (Lilas), pourriture sclérotique (Rhododendrons), tavelure du Pommier, maladies des pêches, poires, prunes, cerises, raisins et autres petits fruits	Fongicide d'usage général
Tache brune des aiguilles (pins), anthracnose (Noyers), rouilles, Pommiers, Pommetiers et certains Rosiers)	
Pourriture des racines, pourriture de la tige par des pythium, rhyzoctonia et phytophtora	

Tableau 6 (suite)

Noms des fongicides	Autres noms	Usages	Types de produit
Dodine	Cyprex	C-D	PS
Dinocap	Karathane Mildex, Garden Karaspra	C-D	PS-PO
Ferbam	Karbam black, Carbamate	C-D	PS-PO
Folpet	Phaltan, Rose and Garden fungicide	C-D	P-S
Lignasan	Lignasan BLP Elmosan, Elm-Noculate Corex	C	LI
Mancozeb	Dithane M-45 Fore, Manzate 200	C	PS
Maneb	Manzate, Dithane M-22 Blitex 80 MN Chem Neb	C	PS
Polyram	Polyram-7	C	PS
Metam	SMDC, Metam Sodium Vapam	C	SO

ffections cibles	Commentaires
nthracnose (Frênes, Érables), ale bactérienne (Pommiers, ommetiers, Sorbiers), brûlure des uilles (Aubépines et Marronniers), velure du Pommier	
Mélangé au Zineb, est très efficace ontre la tache noire, la tache des uilles, les blancs, les rouilles, les nthracnoses, les brûlures, plusieurs ormes de mildiou et la tache eptorienne	
Rouilles (Pins, Genévriers) moisissure rise (Rhododendrons, Camélias), aches des feuilles (Hydrangées, umacs et plusieurs autres arbustes)	
Maladies du feuillage et plusieurs ormes de mildiou	
Maladie hollandaise de l'Orme	Application par injection dans le tronc (fongicide systémique soluble)
oir sur le mode d'emploi les types e maladies traitées	
Tache brune des aiguilles (Pins), ouges (Pins), anthracnoses (Noyers, Chênes), rouilles (Pommiers, Pommetiers), gale bactérienne (Sorbiers)	
Gale bactérienne (Pommiers, Pommetiers, Aubépines, Sorbiers), tavelure du Pommier	
Pourriture des racines (Chênes et plusieurs autres feuillus)	Aussi efficace comme nématocide

Tableau 6 (suite)

Noms des fongicides	Autres noms	Usages	Types de pro
Composés du cuivre, fongicides en différentes formules et mode d'application divers	Copper sulfate, Basic Copper sulfate, Basi-Crop, Microcops, Copper 53 fungicide Kocide 101, Copper oxychloride, Coprantal, etc.	C-D	PS
Thiram	Arasan, Tersan 75, Thylate, Thiramad, Rhiuram 75, Thylate T-M-T-D	C-D	PO-SU-PS
Zineb (seul)	Dithane Z-78 Parzate	C-D	PS-PO

ES FONGICIDES

ffections cibles	Commentaires
iverses formes de mildiou, rouilles, ches noires, brûlure bactérienne Cotonéaster, Pommetiers, ubépines, Sorbiers, Cognassiers), rûlures des aiguilles (Pins, Thuyas, èdres, Sapins, Genévriers, pinettes), brûlure des pousses (Pins, autres conifères), rouges (Pins, huyas, Cèdres, Sapins, Genévriers, pinettes), taches noires des feuilles Ormes), taches goudronneuses Érables, Saules), anthracnoses Frênes, Pommiers, Chênes, Platanes, oyers)	
Maladies du feuillage, rouilles Pommiers, Aubépines, Sorbiers) et ourriture de la tige chez certains bres	
oisissure grise (Rhododendrons, amélias) mélangé à Dinocap, est efficace ontre les taches noires, les taches es feuilles, les blancs, les rouilles, s anthracnoses, les brûlures, usieurs formes de mildiou, la tache ptorienne mélangé à du soufre, est efficace ontre les anthracnoses, les taches oires, la carie brune, moisissure ise, les blancs, les rouilles, les ches des feuilles, etc. nthracnoses (Frênes, Érables, hênes, Noyers), gale bactérienne Pommiers, Aubépines, Sorbiers), uilles (Pommiers, Aubépines, enévriers, Sorbiers), tache noire es feuilles (Ormes), brûlures des uilles (Aubépines, Marronniers)	**Abréviations utilisées** PS = Poudre soluble PO = Poudre SU = Suspension GR = Granuleux TA = Tablette SO = Solution LI = Liquide D = Utilisation domestique C = Utilisation commerciale R = Utilisation restreinte

Antibiotiques

Les antibiotiques sont des substances extraites de cultures bactériennes ou fongiques comme la pénicilline; ils inhibent le développement et la multiplication des agents pathogènes, en particulier des bactéries. La pénicilline et la streptomycine en sont deux exemples. L'antibiotique le plus utilisé en phytopathologie est la streptomycine que l'on retrouve sous différentes marques de commerce.

ANTIBIOTIQUE	AUTRES NOMS	TYPE DE PRODUIT
Streptomycine	Agrimycin - 17 Agro-Strep Phytomycin Antibiotic (poudre à pulvériser) Streptomycin spray Streptomycin wettable powder	En poudre sous différentes concentrations

Antiseptiques

Les antiseptiques sont des substances chimiques qui servent à prévenir et à combattre les infections internes ou externes chez un sujet donné. Les antiseptiques les plus utilisés lors des chirurgies, ablations, etc., sont :
• l'alcool à 70° ou plus
• le permanganate de potassium
• l'eau de Javel
• la solution de soude caustique

La stérilisation peut aussi se faire au moyen d'un chalumeau au propane (brûlage des parties infectées).

Insectes et autres invertébrés
ennemis des arbres et des arbustes

Il nous semble important de consacrer quelques pages à donner des renseignements sur les insectes que l'on considère comme ennemis des essences ornementales. Certains d'entre eux nuisent de façon différente à la croissance et au développement des plantes. Tel insecte peut transporter des spores de champignons parasites d'une plante à une autre, tel autre s'attaquer au tissu végétal même. Ce ne sont pas uniquement des insectes qui peuvent causer des dommages aux arbres ou arbustes; il existe des

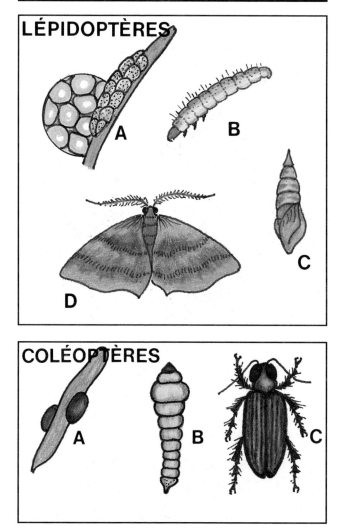

LÉPIDOPTÈRES

A

B

C

D

Lépidoptères
A- masse d'œufs
B- larve ou chenille
C- pupe ou chrysalide
D- adulte (papillon)

COLÉOPTÈRES

A

B

C

Coléoptères
A- œufs
B- larve
C- adulte

invertébrés comme certaines araignées (arachnidés), des limaces (mollusques), des cloportes (crustacés) et des mille-pattes (scolopendres) qui sont également responsables de méfaits.

Les insectes passent par plusieurs stades de développemt : œuf, larve ou chenille, pupe ou chrysalide, et enfin insecte adulte. Les insectes généralement nuisibles pour la végétation peuvent se classer en plusieurs catégories : les *insectes broyeurs* qui dévorent les tissus végétaux comme les feuilles des arbres, les *insectes suceurs*

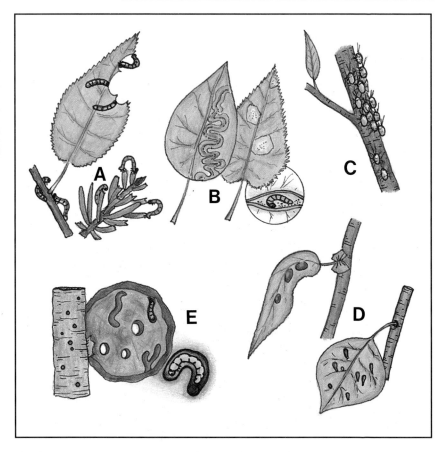

qui se nourrissent de sève, les *insectes mineurs* (les mineuses), les *insectes gallicoles* qui causent des galles ou petites tumeurs sur les organes végétaux, les *insectes perceurs* qui creusent des galeries à l'intérieur du bois et de l'écorce. On trouve également des *enrouleuses* et des *squeletteuses* qui sont des insectes défoliateurs ou broyeurs selon le cas.

Tous les insectes ne sont cependant pas des ennemis des arbres et arbustes. Beaucoup rendent de nombreux services à l'homme, entre autres les libellules, les ichneumons et certaines coccinelles. Il est donc nécessaire de se renseigner avant d'utiliser un insecticide quelconque sur les plantes ornementales.

Insecticides

Les insecticides sont des substances de nature chimique ou biologique que l'on emploie pour combattre les insectes indésirables et certains invertébrés mentionnés plus haut. Il faut les manipuler avec beaucoup de précautions lorsqu'on procède à des arrosages nécessaires sur les arbres ou arbustes infestés. Des cas d'intoxication ont été signalés à la suite de l'utilisation irréfléchie de certains insecticides. En particulier, le Malathion et le Cygon peuvent être de légèrement à gravement toxiques s'ils sont absorbés par voie buccale ou cutanée.

Enfin, même si vous consultez régulièrement le tableau qui suit, nous vous conseillons vivement de lire des ouvrages plus spécialisés qui traitent des ennemis des arbres et arbustes. La connaissance exacte de l'insecte ravageur et le choix éclairé d'un insecticide seront autant d'atouts dans le traitement que vous devrez effectuer.

MODE D'ACTION DES INSECTICIDES

Produits chimiques ou organiques utilisés pour combattre et contrôler les insectes.

1. Insecticides de contact : ne pénètrent pas dans la plante mais demeurent fixés à un organe spécifique comme les feuilles.

2. Insecticides systémiques : pénètrent dans toutes les parties de la plante.

3. Insecticides répulsifs : servent à repousser les insectes.

Tableau 7 — **ESSENCES, INSECTE**

Conifères	Types d'insectes A B C D E F						Noms des insectes
Épinettes					E		Charançon du Pin blanc
		B					Mineuse de l'Épinette
	A						Tenthrède à tête jaune
			C				Tétranyque de l'Épinette
	A						Tordeuse des bourgeons de l'Épinette
Genévriers			C				Cochenilles
		B					Mineuses
			C				Tétranyque
Mélèzes		B					Porte-case du Mélèze
			C				Puceron lanigère du Mélèze
	A						Tenthrède du Mélèze
Pins			C				Cercope du Pin
					E		Charançon du Pin blanc
			C				Cochenille des aiguilles du Pin
	A						Diprions
					E		Perce-pousse européen du Pin
			C				Puceron de l'écorce
Sapins							Cécidomyie du Sapin
							Puceron des pousses du Sapin
	A						Tordeuse des bourgeons de l'Épinette
Thuyas			C				Cochenilles
		B					Mineuses
			C				Tétranyque

Insecticides	Traitements
- Lindane ou Méthoxychlore	- Pulvériser au printemps et 15 jours plus tard
- Malathion, Diméthoate (Cygon, Rogor, Sys-Tem)	- Pulvériser à la mi-mai et une deuxième fois à la mi-juin
- Kelthane (dicofol), Diméthoate	- Pulvériser vers la mi-juin et répéter 8 à 10 jours plus tard
- Kelthane (dicofol), Diméthoate	- Deux pulvérisations à 10 jours d'intervalle
- Diméthoate, Thuricide (B.T.)	- Pulvériser au printemps et répéter 6 à 7 jours plus tard
- Malathion 50-E, Sévin (Carboryl)	- Pulvériser tôt au printemps et au début de l'été
- Malathion, Diméthoate	- Pulvériser tôt en juin
- Kelthane, Diméthoate	- Arroser fréquemment les Genévriers
- Sévin, Malathion	- Pulvériser au printemps
- Malathion	- Voir mode d'emploi du fabricant
- Sévin, Malathion	- Voir mode d'emploi
- Lindane, Méthoxychlore	- Voir mode d'emploi
- Lindane, Méthoxychlore	- Pulvériser tôt au printemps et 15 jours plus tard; voir aussi mode d'emploi
- Sévin, Malathion	- Voir mode d'emploi
- Sévin, Méthoxychlore	- Voir mode d'emploi
- Sévin, Diméthoate	- Pulvériser au printemps
- aucun	- Arroser fréquemment les arbres sous forte pression
- Malathion, Diazinon	- Pulvériser tôt au printemps
- Malathion, Endosulfan	- Pulvériser dès l'apparition des pucerons
- Carbaryl, Methomyl	- Pulvériser dès l'apparition des larves
- Malathion 50-E, Sévin	- Pulvériser tôt au printemps et au début de l'été
- Malathion, Diméthoate	- Pulvériser tôt en juin
- Kelthane, Diméthoate	- Arroser fréquemment les Thuyas

Tableau 7 (suite) — **ESSENCES, INSECTE**

Feuillus	Types d'insectes A B C D E F	Noms des insectes
Aubépines	C	Pucerons
Bouleaux	E	Agrile du Bouleau
	B	Mineuse
	B	Porte-case du Bouleau
	C	Pucerons
	A	Squeletteuse du Bouleau
Caragans	C	Cicadelle
	C	Pucerons
Chèvrefeuilles	B	Mineuses
	C	Pucerons
	C	Tétranyque
	A	Tordeuse (enrouleuse)
Cornouillers	C	Cochenille
Cotoneasters	C	Cochenille virgule du Pommier
	A	Tenthrède squeletteuse du Cerisier

Insecticides	Traitements
- Malathion	- Voir mode d'emploi
- Lindane, Méthoxychlore	- Pulvériser à la fin de mai et répéter après 15 jours; maintenir une bonne fertilisation
- Diméthoate	- Voir mode d'emploi
- Diméthoate	- Pulvériser au début de juin
- Pirimor (pirimicarbe), Diméthoate	- Voir mode d'emploi
- Sévin	- Voir mode d'emploi
- Sévin, Malathion	- Voir mode d'emploi
- Malathion	- Voir mode d'emploi
- Malathion	- Pulvériser au printemps et vers la fin de juin
- Pirimor, Malathion	- Voir mode d'emploi
- Kelthane	- Pulvériser au printemps
- Sévin	- Voir mode d'emploi
- Éthion-huile supérieure, Malathion, Sévin	- Voir mode d'emploi
- Éthion-huile supérieure Malathion, Diazinon	- Voir mode d'emploi
- Malathion, Sévin	- Pulvériser dès son apparition

Feuillus	Types d'insectes A B C D E F	Noms des insectes
Érables	A	Anisote de l'Érable
	E	Cérèse buffle
	C	Cochenille floconneuse de l'Érable
	A	Livrée des forêts
	E	Perceur de l'Érable
	D	Phytopte vésiculaire
	E	Tenthrède du pétiole de l'Érable
Féviers «Gleditsia»	D	Cécidomyie du Févier
Frênes	A	Livrée des forêts
	E	Sésie du Frêne
Gadeliers	E	Sésie du Groseillier
	F	Cèphe du Groseillier
Hydrangées	C	Tétranyque à deux points
Lilas	F	Cochenille virgule du Pommier
	B	Fausse-teigne du Lilas
	E	Sésie du Lilas

Tableau 7 (suite) — **ESSENCES, INSECTE**

Insecticides	Traitements
- Sévin, Thuricide (B.T.) - aucun	- Pulvériser dès son apparition - Fertilisation proposée et tonte du gazon pour que les larves ne se développent dans l'herbe non coupée
- Malathion, Sévin,	- Pulvériser au début de juillet et 10 jours plus tard
- Sévin, Thuricide (B.T.) - Méthoxychlore	- Pulvériser dès son apparition - Pulvériser dès la fin juin sur le tronc et les branches; faire 3 traitements à 2 semaines d'intervalle.
- Éthion-huile supérieure, Kelthane - ne nécessite pas de traitement	- Pulvériser tôt au printemps et 15 jours plus tard - Sans grandes conséquences pour l'arbre
- Lindane	- Pulvériser au printemps et 10 jrs plus tard
- Sévin, Thuricide (B-T) - Méthoxychlore	- Pulvériser dès l'apparition des larves - Pulvériser à partir de la mi-juin sur le tronc et les branches
- Sévin - aucun	- Pulvériser entre la mi-mai et la fin de juin - Couper en partie les nouvelles pousses affectées (voir les directives concernant ce genre de dommages).
- Kelthane	- Pulvériser dès l'apparition de l'insecte
- Éthion-huile supérieure, Malathion, Diazinon - Diméthoate, Malathion - Méthoxychlore, Thiodan	- Pulvériser au début de juin et 10 jours plus tard - Pulvériser au printemps et répéter 6 semaines plus tard - Pulvériser le tronc et les branches

Tableau 7 (suite) — **ESSENCES, INSECTE**

Feuillus	Types d'insectes A B C D E F	Noms des insectes
Ormes	A A A	Arpenteuse d'automne Chenille épineuse de l'Orme Galéruque de l'Orme

	B
	   D
	   D
		Mineuse de l'Orme
		Puceron à galle de l'Orme
		Puceron lanigère de l'Orme

	E	Scolytes
Orme de Sibérie	A A	Cicadelles Galéruque de l'Orme
Peupliers	B A A	Cochenilles Livrée des forêts Plieuse des feuilles de Peuplier
	E	Perceurs
	C	Pucerons
Pommetiers	F	Cochenille virgule du Pommier
	A	Livrée d'Amérique (chenille à tente)
	C	Puceron lanigère du Pommier
Pruniers	A	Tenthrède-squeletteuse du Cerisier

Insecticides	Traitements
- Sévin, Thuricide (B.T.) - Sévin, Thuricide (B.T.) - Sévin - Malathion, Lindane - Malathion, Lindane - Malathion, Lindane - voir ouvrages spécialisés pour les traitements proposés et la prévention	- Pulvériser sur les jeunes chenilles - Pulvériser sur les jeunes chenilles - Pulvériser sur l'adulte et répéter 3 semaines plus tard - Pulvériser tôt au printemps (mi-mai) - Pulvériser dès l'ouverture des feuilles - Pulvériser après l'ouverture des bourgeons et répéter 10 jours plus tard
- Sévin, Malathion - Sévin	- Pulvériser dès l'apparition de l'insecte - Pulvériser sur l'adulte et répéter 3 semaines plus tard
- Sévin, Malathion - Sévin, Thuricide (B.T.) - Sévin, Méthoxychlore, Thuricide (B.T.) - Méthoxychlore - Ne nécessitent pas de traitement car ils affectent très peu la croissance	- Pulvériser à la mi-mai et à la mi-juin - Pulvériser sur les larves - Pulvériser sur les larves - Pulvériser sur le tronc et les branches en juillet et août
- Éthion-huile supérieure, Malathion, Diazinon - Sévin, Thuricide (B.T.), Méthoxychlore - Malathion, Pirimor	- Pulvériser au début de juin après la floraison, puis 10 jours après - Pulvériser sur les jeunes chenilles - Pulvériser sur le puceron dès son apparition
- Malathion, Sévin	- Pulvériser sur la jeune chenille

Tableau 7 (suite) — ESSENCES, INSECTE

Feuillus	A	B	C	D	E	F	Noms des insectes
Robiniers					E		Cyllène du Robinier
					E		Agrile du Rosier
			C				Cicadelle
	A						Mégachille
			C				Pucerons
	A						Scarabée du Rosier
	A						Squeletteuse
			C				Tétranyque à deux points
						F	Thrips
	A						Tordeuse à bandes obliques
Saules				D			Cécidomyie strobilaire du Saule
	A						Chrysomèle versicolore du Saule
				D			Galle rouge du Saule
	A						Orcheste du Saule
					E		Perceurs
			C				Pucerons
			C				Tétranyque à deux points
Sorbiers					E		Saperde du Pommier
	A						Tenthrède du Sorbier
			C				Tétranyque
Spirées			C				Pucerons
	A						Tordeuse à bandes obliques
Tilleuls					E		Perceur de l'écorce du Tilleul

Insecticides	Traitements

- Lindane, Méthoxychlore
- Malathion, Keldane et
  autres pesticides
- Malathion, Keldane
	- Pulvériser dès l'étalement du feuillage
	- Pour traitement, consulter des
	  ouvrages spécialisés
	- Pour traitement, consulter des
	  ouvrages spécialisés

id. id. id. id. id. id. id.	id. id. id. id. id. id. id.

- Malathion
- Sévin, Méthoxychlore
 	
- Malathion
 	
- Lindane, Malathion
 	
- Méthoxychlore
 	
- Pirimor, Diméthoate
- Kelthane
	- Pulvériser au printemps
	- Pulvériser dès que l'insecte apparaît,
	  répéter si nécessaire
	- Pulvériser au printemps dès
	  l'étalement du feuillage
	- Pulvériser au printemps et
	  15 jours plus tard
	- Pulvériser sur le tronc et les
	  branches en juillet et en août
	- Pulvériser dès l'apparition des pucerons
	- Pulvériser dès l'apparition des acariens

- Méthoxychlore - Sévin, Méthoxychlore - Keldane	- Pulvériser à partir de la mi-juin et faire 3 traitements à 2 semaines d'intervalle - Pulvériser sur les jeunes chenilles - Pulvériser sur les acariens
- Pirimor, Malathion - Sévin	- Pulvériser dès l'apparition des pucerons - Pulvériser dès l'apparition de la larve
- Méthoxychlore	- Pulvériser les branches au début de juin et traiter 3 fois à 2 semaines d'intervalle.

Tableau 7 (suite) — ESSENCES, INSECTE

Feuillus	Types d'insectes A B C D E F	Noms des insectes
Troènes	B	Mineuse du troène
	C	Pucerons
	C	Thrips
Viornes	C	Pucerons de la Viorne

INSECTES QUI S'ATTAQUENT À PLUSIEURS TYPE

Insectes nuisibles	Types d'insectes A B C D E F	Essences affectées
Charançon du Saule	E	Saules, Peupliers, Bouleaux, Aulnes
Arpenteuse de Bruce	A	Érables, Peupliers, Hêtres, Coudriers, Bouleaux, Cerisiers, Chênes, Frênes, Ormes, Ostryers, Tilleuls.

ABRÉVIATIONS UTILISÉES

A Insectes broyeurs ou défoliateurs

B Mineuses

C Insectes suceurs

D Insectes gallicoles

E Insectes perceurs

F Autre type de manifestation

UISIBLES SPÉCIFIQUES ET TRAITEMENT

Insecticides	Traitements
- Malathion - Pirimor, Malathion - Sévin, Lindane	- Pulvériser dès l'apparition des premiers dégâts sur les feuilles - Pulvériser sur les pucerons - Pulvériser dès les premiers signes de dégâts
- Malathion	- Pulvériser tôt au printemps

'ESSENCES ORNEMENTALES ET FORESTIERES

Insecticides	Traitements
Les larves et les nymphes sont difficilement détruites avec les insecticides. Plusieurs insecticides sont actuellement à l'essai.	-Enlever et détruire les arbres infestés en les brûlant après abattage.
- Sévin, Malathion	- Pulvériser sur les larves au printemps.

Fiche analytique pour échantillonnage

Nous proposons en page suivante un modèle de fiche aux lecteurs et lectrices de cet ouvrage ainsi qu'aux *aménagistes* et à toute personne qui travaille en *horticulture*. Elle leur servira à fournir les renseignements adéquats sur les spécimens récoltés à titre d'échantillons et destinés aux analyses en laboratoire. On peut évidemment en modifier le contenu pour l'adapter aux types d'échantillonnage et de diagnostic que l'on fera soi-même sur le terrain.

Lieu :	Date :

Altitude :	Dommages : ☐ Légérs ☐ Moyens ☐ Graves	☐ arbres ☐ arbustes ☐ arbres ou arbustres intérieurs

Nom de l'essence :	Diamètre :	Hauteur :

Description du milieu : Phénomènes anormaux : inadaptation ☐ sécheresse ☐ incendie ☐ (rusticité) ☐ inondation ☐ pollution ☐ traitements ☐ gelées ☐ blessures chimiques ☐ autres _____	Localisation et schéma physionomique des lieux : N O ▲ E S Dimension du terrain :

Importance des dégâts : ☐ local ☐ régional ☐ autres	Température de la journée :

Exposition de l'arbre :
☐ Nord ☐ Est ☐ Sud ☐ Ouest

Emplacement de l'arbre :
☐ pépinière ☐ coupe-vent
☐ arbre d'ornement ☐ haie
☐ arbre isolé (intérieur) ☐ plantation
Remarques : ....
....
....
....
....

Niveau de prélèvement de l'échantillon :		Type de dégâts :
☐ fleurs	☐ vieux feuillage	☐ pathologiques
☐ fruits	☐ nouvelles pousses	☐ animaux
☐ bourgeons	☐ branches	☐ insectes
☐ feuilles	☐ tronc ou tige	☐ climatiques
☐ nouveau feuillage	☐ racines	☐ physiologiques
		☐ _____

Type de maladie; diagnostic :

				Partie affectée :
☐ rouilles	☐ nodules	☐ résinoses-gommoses	☐ balai de sorcière	cime
☐ rouges	☐ chancres	☐ tumeurs	☐ pourridiés	tronc/tige
☐ taches	☐ brûlures	☐ pourritures-caries	☐ dépérissements	collet
☐ cloques	☐ fasciculations	☐ flétrissures	☐ blancs	racine
☐ anthracnoses	☐ mildiou	☐ moisissures	☐ _____	

Type de sol :
☐ sableux ☐ rocheux ☐ argileux ☐ calcaire ☐ siliceux ☐ _____

Résultats du laboratoire; diagnostic et thérapie :

Noms vernaculaires français, noms anglais et noms scientifiques des essences forestières et ornementales mentionnées dans cet ouvrage

CONIFÈRES		
Noms vernaculaires français	**Noms anglais**	**Noms scientifiques**
Cyprès chauve	Bald Cypress	*Taxodium disticum*
Épinette blanche	White Spruce	*Picea glauca*
Épinette bleue	Colorado Blue Spruce	*Picea pungens*
Épinette bleue de Chine	Chinese Spruce	*Picea asperata*
Épinette d'Engelmann	Engelmann Spruce	*Picea engelmannii*
Épinette de Norvège	Norway Spruce	*Picea abies*
Épinette noire	Black Spruce	*Picea mariana*
Épinette rouge	Red Spruce	*Picea rubens*
Genévrier commun	Common Juniper	*Juniperus communis*
Genévrier de Virginie	Eastern Red Cedar	*Juniperus virginiana*
Genévrier horizontal	Creping Juniper	*Juniperus horizontalis*
Genévrier sabine	Sabine Juniper	*Juniperus sabina*
Ginkgo	Ginkgo	*Ginkgo biloba*
Houx touffu	American Holly	*Ilex opaca*
If d'Europe	European Yew	*Taxus baccata*
If du Canada	Canada Yew	*Taxus canadensis*
If japonais	Japanese Yew	*Taxus cuspidata*
Mélèze d'Europe	European Larch	*Larix decidua*
Mélèze de Sibérie	Siberian Larch	*Larix sibirica*
Mélèze du Japon	Japanese Larch	*Larix leptolepis*
Mélèze laricin	Eastern Larch	*Larix laricina*
Pin blanc	Eastern White Pine	*Pinus strobus*
Pin de Thunbergii	Japanese Black Pine	*Pinus thunbergii*
Pin gris	Jack Pine	*Pinus banksiana*
Pin mugo	Mugo Pine	*Pinus mugo*
Pin noir d'Autriche	Austrian Pine	*Pinus nigra*
Pin ponderosa	Ponderosa Pine	*Pinus ponderosa*
Pin rigide	Pitch Pine	*Pinus rigida*
Pin rouge	Red Pine	*Pinus resinosa*
Pin sylvestre	Scots Pine	*Pinus sylvestris*
Pruche du Canada	Eastern Hemlock	*Tsuga canadensis*

CONIFÈRES

Noms vernaculaires français	Noms anglais	Noms scientifiques
Sapin baumier	Balsam Fir	*Abies balsamea*
Sapin de Douglas	Douglas Fir	*Pseudotsuga menziesii*
Thuya occidental	Eastern White Cedar	*Thuya occidentalis*

FEUILLUS

Noms vernaculaires français	Noms anglais	Noms scientifiques
Abricotier	Abricot	*Prunus armeniaca*
Amélanchier glabre	Allegheny Serviceberry	*Amelanchier lævis*
Arbre aux pois	Common Caragana	*Caragana arborescens*
Argousier faux-nerprun	Sea Buckthorn	*Hippophæ rhamnoïdes*
Arbre de Judas	Redbud	*Cercis canadensis*
Aubépine ergot-de-coq	Cockspur Hawthorn	*Cratægus crus-galli*
Aulne glutineux	Black Alder	*Alnus glutinosa*
Aulne rugueux	Smooth Alder	*Alnus rugosa*
Bouleau acajou	Cherry Birch	*Betula lenta*
Bouleau à papier	White Birch	*Betula papyrifera*
Bouleau gris	Gray Birch	*Betula populifolia*
Bouleau jaune	Yellow Birch	*Betula alleghaniensis*
Bouleau pleureur	European Birch	*Betula pendula*
Caragan	Peatree	*Caragana sp.*
Caryer à noix amères	Bitternut Hickory	*Carya cordiformis*
Caryer à noix douces	Shagbark Hickory	*Carya ovata*
Caryer tomenteux	Mockernut Hickory	*Carya tomentosa*
Catalpa commun	Common Catalpa	*Catalpa bignonioïdes*
Catalpa de l'Ouest	Western Catalpa	*Catalpa speciosa*
Cerisier amer	Bitter Cherry	*Prunus emarginata*
Cerisier de Pennsylvanie	Pin Cherry	*Prunus pensylvanica*
Cerisier de Virginie	Choke Cherry	*Prunus virginiana*
Cerisier tardif	Black Cherry	*Prunus serotina*
Charme de Caroline	American Hornbeam	*Carpinus caroliniana*
Charme faux-bouleau	Hornbeam	*Carpinus betulus*
Châtaignier cultivé	European Sweet Chestnut	*Castanea sativa*
Châtaignier d'Amérique	American Chestnut	*Castanea dentata*
Châtaignier japonais	Japanese Chestnut	*Castanea crenata*

FEUILLUS

Noms vernaculaires français	Noms anglais	Noms scientifiques
Chêne à gros glands	Bur Oak	*Quercus macrocarpa*
Chêne bicolore	Swamp White Oak	*Quercus bicolor*
Chêne blanc	White Oak	*Quercus alba*
Chêne boréal	Boreal Red Oak	*Quercus borealis*
Chêne des marais	Pin Oak	*Quercus palustris*
Chêne du Maryland	Blackjack Oak	*Quercus marylandica*
Chêne jaune	Chinquapin Oak	*Quercus muhlenbergii*
Chêne noir	Black Oak	*Quercus velutina*
Chêne rouge	Red Oak	*Quercus rubra*
Chêne rouvre	English Oak	*Quercus robur*
Chèvrefeuille des haies	European Fly-Honeysuckle	*Lonicera xylosteum*
Chèvrefeuille de Tartarie	Tartarian Honeysuckle	*Lonicera tataricum*
Copalme d'Amérique	Sweet-Gum	*Liquidambar styraciflua*
Cornouiller à feuilles alternes	Alternate-leaved Dogwood	*Cornus alternifolia*
Cornouiller stolonifère	Red Osier Dogwood	*Cornus stolonifera*
Cornouiller stolonifère «flaviramea»	Yellow-twig Dogwood	*Cornus stolonifera*
Érable argenté	Silver Maple	*Acer saccharinum*
Érable à sucre	Sugar Maple	*Acer saccharum*
Érable de Norvège	Norway Maple	*Acer platanoïdes*
Érable de Pennsylvanie	Striped Maple	*Acer pensylvanicum*
Érable ginnala	Amur Maple	*Acer ginnala*
Érable negundo	Ash-leaved Maple	*Acer negundo*
Érable rouge	Red Maple	*Acer rubrum*
Érable sycomore	Sycomore Maple	*Acer pseudoplatanus*
Févier épineux	Honey-locust	*Gleditsia triacanthos*
Févier sans épines	Thornless Honey-locust	*Gleditsia triacanthos var. inermis*
Figuier nain	Fig Tree	*Ficus benjamina*
Fusain	Winged Euonymus	*Euonymus alatus*
Frêne bleu	Blue Ash	*Fraxinus quadrangulata*
Frêne d'Amérique	White Ash	*Fraxinus americana*
Frêne de Pennsylvanie	Green Ash	*Fraxinus pensylvanica*
Frêne puant	Chinese Sumac	*Ailanthus altissima*
Frêne noir	Black Ash	*Fraxinus nigra*

FEUILLUS

Noms vernaculaires français	Noms anglais	Noms scientifiques
Gadelier alpin	Alpine current	*Ribes alpinum*
Gommier noir ou Toupélo	Black Gum	*Nyssa sylvatica*
Gros févier	Kentucky Coffee-tree	*Gymnocladus dioïcus*
Hamamélis de Virginie	Witch-Hazel	*Hamamelis virginiana*
Hêtre à grandes feuilles	American Beech	*Fagus grandifolia*
Hêtre européen	European Beech	*Fagus sylvatica*
Lilas commun	Common Lilac	*Syringa vulgaris*
Lilas à feuilles rondes	Amur Lilac	*Syringa amurensis var. japonica*
Lierre commun	English Ivy	*Hedera Helix*
Magnolia à feuilles acuminées	Cucumber Tree	*Magnolia acuminata*
Magnolia à grandes fleurs	Cucumber Tree	*Magnolia grandifolia*
Marronnier d'Inde	Horse Chestnut	*Æsculus hippocastanum*
Marronnier glabre ou de l'Ohio	Ohio Buckeye	*Æsculus glabra*
Mûrier blanc	White Mulberry	*Morus alba*
Mûrier rouge	Red Mulberry	*Morus rubra*
Nerprun bourdaine	Alder Buckthorn	*Rhamnus frangula*
Nerprun cathartique	European Buckthorn	*Rhamnus catharticus*
Noisetier	Hazelnut	*Corylus sp.*
Noyer cendré	White Walnut	*Juglans cinerea*
Noyer cordiforme	Butternut	*Juglans cordiformis*
Noyer noir	Black Walnut	*Juglans nigra*
Noyer royal	English Walnut	*Juglans regia*
Olivier de Bohême	Russian Olive	*Elæagnus angustifolia*
Orme à grappe	Rock Elm	*Ulmus thomasii*
Orme bâtard	Hackberry	*Celtis occidentalis*
Orme d'Amérique	American Elm	*Ulmus americana*
Orme de montagne	Wych Elm	*Ulmus glabra*
Orme de Chine	Chinese Elm	*Ulmus parvifolia*
Orme de Sibérie	Siberian Elm	*Ulmus pumila*
Osier blanc	Common Osier	*Salix viminalis*
Ostryer de Virginie	Hop-Hornbeam	*Ostrya virginiana*
Parthenocisse à cinq folioles	Virginia Creeper	*Parthenocissus quinquefolia*

FEUILLUS

Noms vernaculaires français	Noms anglais	Noms scientifiques
Peuplier à feuilles acuminées	Lanceleaf Cottonwood	*Populus acuminata*
Peuplier à feuilles étroites	Black Cottonwood	*Populus angustifolia*
Peuplier à grandes dents	Largetooth Aspen	*Populus grandidentata*
Peuplier blanc	White Poplar	*Populus alba*
Peuplier baumier	Balsam Poplar	*Populus balsamifera*
Peuplier deltoïde	Eastern Cottonwood	*Populus deltoïdes*
Peuplier de Lombardie	Lombardy Poplar	*Populus nigra var. italica*
Peuplier de Sargent	Western Cottonwood	*Populus virginiana*
Peuplier faux-tremble	Trembling Aspen	*Populus tremuloïdes*
Phellodendron de l'amour	Amur Cork Tree	*Phellodendron amurense*
Plaqueminier de Virginie	Common Persimmon	*Diospyros virginiana*
Platane d'Occident	American Plane	*Platanus occidentalis*
Platane d'Orient	Oriental Plane	*Platanus orientalis*
Pommetiers	Crabapple	*Malus* sp.
Pommier microcarpe de Sibérie	Siberian Crabapple	*Malus baccata*
Pommier nain	Common Apple Tree	*Malus pumilaq*
Pommetier «Hopa»	«Hopa» crabapple	*Malus «Hopa»*
Potentille frutescente	«Jackman» Buck Brush	*Potentilla fruticosa var. jackmanii*
Prunier noir	Canada Plum	*Prunus nigra*
Robinier faux-acacia	Blacklocus	*Robinia pseudoacacia*
Rosier aciculaire	Briotty Rose	*Rosa acicularis*
Rosier inerme	Meadow Rose	*Rosa blanda*
Rosier rugueux	Rough Rose	*Rosa rugosa*
Sassafras officinal	Sassafras	*Sassafras albidum*
Saule à feuilles de pêcher	Peach leaf Willow	*Salix amygdaloïdes*
Saule blanc	Common Willow	*Salix alba*
Saule fragile	Crack Willow	*Salix fragilis*
Saule laurier	Shining Willow	*Salix pentendra*
Saule noir	Black Willow	*Salix nigra*
Saule pleureur	Weeping Willow	*Salix robylonica*
Saule chinois	Dragon-Claw Willow	*Salix matsudana var. 'tortuosa'*
Savonnier	China-tree	*Koelreuteria paniculata*

FEUILLUS

Noms vernaculaires français	Noms anglais	Noms scientifiques
Shéferdie argentée	Buffaloberry	*Shepherdia argentæa*
Sophora du Japon	Japan Pagoda-tree	*Sophora japonica*
Sorbier d'Amérique	American Mountain-Ash	*Sorbus americana*
Sorbier des oiseleurs	European Mountain-Ash	*Sorbus aucuparia*
Sorbier plaisant	Showy Mountain-Ash	*Sorbus decora*
Spirée 'Vanhoutte'	Vanhoutte's Spirea	*Spiræa* x *Vanhouttei*
Spirée 'bumalda *Froebeli*'	*Froebel's Spirea*	*Spiræa bumalda 'Froebeli'*
Sumac amarante	Staghorn Sumac	*Rhus typhina*
Sumac glabre	Smooth Sumac	*Rhus glabra*
Sureau pubescent	Catberry	*Sambucus pubens*
Sureau rouge à grappes	European Red Elder	*Sambucus racemosa*
Symphorine blanche lisse	Garden Snowberry	*Symphoricarpus albus var. lævigatus*
Tamaris laurier	Fivestamen Tamarisk	*Tamarix pentendra*
Tilleul à petites feuilles	Littleleaf Linden	*Tilia cordata*
Tilleul argenté	Silver Linden	*Tilia tomentosa*
Tilleul d'Amérique	American Linden	*Tilia americana*
Troène d'Europe	Common Privet	*Ligustrum vulgare*
Tulipier de Virginie	Tulip-tree	*Liriodendron tulipifera*
Viorne à feuilles d'aulne	Hobblebush	*Viburnum alnifolium*
Viorne cassinoïde	Witherod	*Viburnum cassinoïdes*
Viorne lentago	Nannyberry	*Viburnum lentago*
Viorne trilobé	American Highbush Cranberry	*Viburnum trilobum*
Virgilier	Yellow Ash	*Cladrastris lutea*

Noms des maladies et de leurs agents pathogènes

Maladies	Agents pathogènes
Brûlure bactérienne	*Erwinia amylovora* et autres
Brûlure des feuilles	Nombreux pathogènes
Brûlure des pousses	*Pollacia* sp. et autres
Carie blanche,	
brune, madrée	Nombreux polypores :
	tramètes spongieuse et alvéolaire, *suaveolens*
Dædalea unicolor	*Ungulina fomentaria, Pholiota aurivella*
Chancre eutypelléen	*Eutypella parasitica*
Chancre cytosporéen	*Cytospora* sp. *Valsa* sp., etc.
Chancre hypoxylonien	*Hypoxylon mammatum*
Chancre nectrien	*Nectria* sp.
Chancre poréen	*Poria obliqua* et autres *Poria* sp.
Chancre scléroderrien	*Gremmeniella abietina «Scleroderris»*
Cloques des feuilles	*Taphrina* sp.
Flétrissures des feuilles	Nombreux pathogènes
Flétrissure verticillienne	*Verticillum* sp.
Maladie du rond	*Heterobasidion annosum, Inonotus tomentosus*
Mildiou (Blancs)	*Phyllactinia* sp. et autres
Nodule noir du Cerisier et	
chancre apiosporinien	*Apiosporina morbosa «Dibotryon»*
Pourridiés - agaric et	
autres Pourridiés	*Armillaria mellia, Armillaria* sp. et autres
Rouges	Nombreux pathogènes
Rouille balai-de-sorcière	*Melampsorella caryophyllacearum*
Rouille des aiguilles	*Chrysomixa* sp. et autres
Rouille des feuilles	*Melampsora* sp. et autres
Rouille tumeur,	
rouille vésiculeuse	*Endocronartium harkenssi, Cronartium* sp. et
	Cronartium ribicola
Tache d'encre	*Ciborinia whetzelii*
Tache des feuilles	*Marsonnina* sp. et nombreux pathogènes
Taches goudronneuses	*Rhytisma* sp.
Taches goudronneuses	
ponctuées	*Rhytisma punctatum*
Tumeur du collet	*Agrobacterium tumegaciens*

ZONES DE RUSTICITÉ

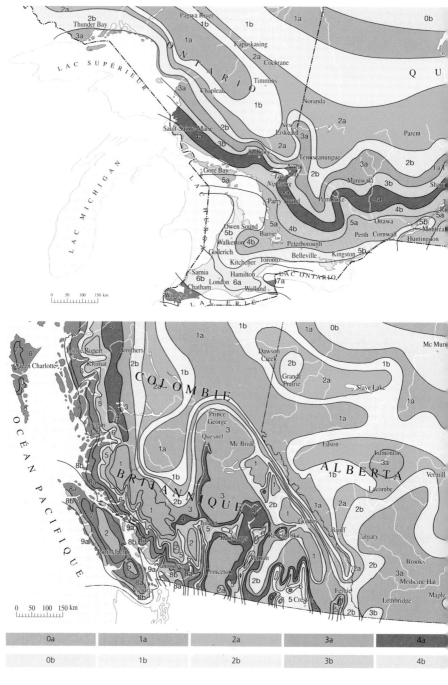

| 0a | 1a | 2a | 3a | 4a |
| 0b | 1b | 2b | 3b | 4b |

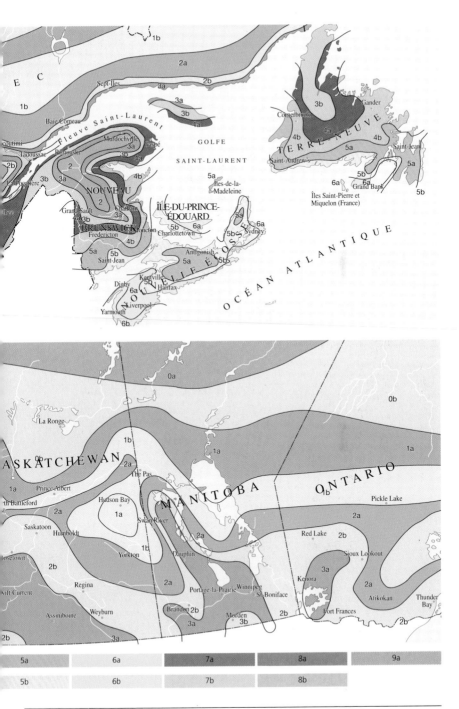

1b

2a

Sept-Îles   3a   2b

1b

Baie Comeau   Fleuve Saint-Laurent

3a   3b   4a

coutimi   Murdochville   Gaspé   GOLFE
Tadoussac   Rimouski
2b   2   3b   4a   SAINT-LAURENT
La Pocatière   3b   3a   4b

NOUVEAU   2   5a
Îles-de-la-
Madeleine
ve   Grand-Sault   Chatham   ÎLE-DU-PRINCE-
4a 3b   3a   ÉDOUARD
BRUNSWICK   Moncton   5b   6a
Fredericton   4b   Charlottetown   5b   5a   6a
5a   5b   Antigonish   5b   Sydney
Saint-Jean   5a   5b
Digby   Kentville   5b
6a   Halifax
Yarmouth   Liverpool
6b

3b   Gander
Cornerbrook   4a   TERRE-NEUVE   4b
4b   5a   Saint-Jean
Saint-Andrew's   5a
6a   Grand Bank   6a   5b
Îles Saint-Pierre et   5b
Miquelon (France)

OCÉAN ATLANTIQUE

0a

0b

La Ronge

1b   1a   1a

ASKATCHEWAN   2a   The Pas   MANITOBA   ONTARIO   0b
1a   Prince-Albert   Pickle Lake
th Battleford   Hudson Bay   Red Lake   2b
2a   1a   Swan River   2a
Saskatoon   Humboldt   Sioux Lookout
osetown   1b   Yorkton   Dauphin   2a   3a   2a
2b   Red Lake   2b   Kenora
Regina   2a   Portage-la-Prairie Winnipeg   Atikokan   Thunder
ift Current   St-Boniface   Fort Frances   Bay
Assiniboine   Weyburn   Brandon 2b   Morden   2b   2b
2b   3a   3b

| 5a | 6a | 7a | 8a | 9a |
| 5b | 6b | 7b | 8b | |

ZONES DE RUSTICITÉ

Zone	Température minimale		
	°C		°C
1	au-dessous	de	-45
2a	-46	à	-43
2b	-43	à	-40
3a	-40	à	-37
3b	-37	à	-34
4a	-34	à	-32
4b	-32	à	-29
5a	-29	à	-26
5b	-26	à	-23
6a	-23	à	-21
6b	-21	à	-18
7a	-18	à	-15
7b	-15	à	-12
8a	-12	à	-9
8b	-9	à	-7
9a	-7	à	-4
9b	-3	à	-1
10a	-1	à	+2
10b	+2	à	+4

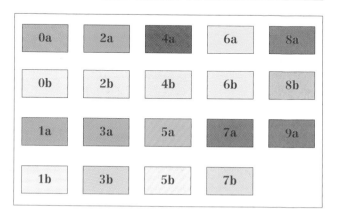

GLOSSAIRE*

Ablation : action d'enlever ou de retrancher un organe ou   **A**
une partie d'organe.

Affection : maladie considérée dans ses manifestations
actuelles.

Aménagiste : personne qui organise et arrange l'espace
sur un terrain en fonction de la végétation qui doit
l'ornementer. On dit aussi *jardinier paysagiste.*

Annelage : développement ou progression en anneau ou
autour d'un organe spécifique.

Antibiotique : substance produite par un micro-organisme
vivant capable d'arrêter la multiplication, la croissance
d'autres organismes, et de les tuer.

Antiseptique : substance capable de tuer les micro-
organismes. (Voir *Désinfectant*)

Arbustive : se dit de la flore d'un lieu constituée
d'arbustes.

Autotrophe : organisme végétal capable de transformer
des substances minérales simples en substances
organiques complexes en vue de sa nutrition.
Ex. : la plante verte.

Bactérie : organisme unicellulaire et microscopique   **B**
dépourvu de chlorophylle et qui se divise par scission.

---

* La plupart des définitions sont tirées du *Glossaire des termes utilisés
en pathologie végétale* de Claude Aubé dans *Phytoprotection,* vol. 52, no
1, p. 1-23, février 1971. Ministère de l'Agriculture du Canada.

Balai de sorcière : ramification abondante et désordonnée d'une tige en un point, à la suite du développement de tous les bourgeons axillaires et dormants qu'elle renferme. La branche principale cesse en général de s'allonger. Il en résulte un amas compact, touffu et disposé en boule, de branchettes anormales et enchevêtrées, le plus souvent noueuses, courtes, à feuilles plus petites, difformes et caduques.

Blanc : strome mycélien formé à la surface des feuilles chez les Érysiphacées et qui a l'apparence d'un manteau blanc.

Bouillie : tout mélange liquide, prêt à l'emploi, pour pulvérisation ou arrosage.

C

Cal : masse formée de callose, qui se dépose sur les deux faces des plaies criblées de vaisseaux et garnies de spores; un cal est souvent le résultat d'une blessure.

Carence : maladie causée par le manque d'un élément nutritif nécessaire à la vie.

Carie blanche : maladie causée par la transformation du bois en une charpie blanche constituée de la cellulose des lamelles secondaires.

Carie brune : maladie causée par des champignons qui, sans toucher à la lignine, s'attaquent à la cellulose dont la teinte brune se trouve ainsi accentuée.

Chancre apiosporinien des Cerisiers : ce chancre, qui affecte également les Pruniers et les Abricotiers, est produit par un champignon parasite dont le nom scientifique est *Apiosporina morbosa*.

Chancre cytosporéen : chancre produit par un champignon parasite dont le nom scientifique est *Cytospora*.

Chancre eutypelléen : chancre produit par un champignon parasite dont le nom scientifique est *Eutypella parasitica*.

Chancre hypoxylonien : chancre produit par un champignon parasite dont le nom scientifique est *Hypoxylon mammatum*.

Chancre nectrien : chancre produit par un champignon parasite dont le nom scientifique est *Nectria galligena*.

Chancre poréen : chancre produit par un champignon parasite dont le nom scientifique est *Poria obliqua*.

Chancre scléroderrien : chancre produit par un champignon parasite dont le nom scientifique est *Gremmeniella abietina*.

Chlorose : teinte jaune due au manque de chlorophylle des tissus normalement verts.

Cicatrice : trace d'une plaie, d'une blessure après guérison.

Cicatrisation : production, à la suite d'une blessure, de nouveaux tissus à partir d'une assise génératrice qui isole la plaie. Ces nouveaux tissus peuvent se composer de liège, de parenchyme de vaisseaux.

Cloque : maladie se manifestant par des bosselures irrégulières des feuilles qui se replient, se froncent sous l'attaque d'un champignon ou de la piqûre d'un insecte.

Colonie : groupe d'individus d'une même espèce vivant ensemble.

Contamination : action de contaminer par la transmission d'un organisme pathogène.

Contaminé : qui contient ou qui porte une substance ou un organisme étranger. Contaminé ne signifie pas nécessairement «infecté».

Contrôle : se dit de la prévention ou de la lutte contre une maladie.

D

Désinfectant : toute substance capable de tuer des micro-organismes.

Désinfection : traitement qui cause la destruction ou l'inactivation des germes pathogènes en association avec l'organe de l'hôte. Action de débarrasser un organisme, une plante, un objet, etc., de germes pathogènes.

Désordre : mauvais fonctionnement de la plante dû à un ou plusieurs facteurs environnants non favorables à son développement. Le désordre n'est jamais causé par un organisme phytopathogène.

Dessiccation : dessèchement par évaporation excessive des tissus d'une plante.

Destruction : mode d'éradication des phytopathogènes qui consiste à les tuer là où ils se trouvent. La destruction se fait par la désinfestation ou la désinfection au moyen de produits chimiques toxiques, par la chaleur, etc.

Diagnostiques : se dit des signes et des symptômes par lesquels on détermine la nature d'une maladie.

Dissémination : action de libérer ou de disperser les grains de pollen.

E   **Embruns :** poussière de gouttelettes d'eau provenant du déglaçage chimique; elle est soit emportée par le vent, soit projetée par le passage des véhicules sur la route ou la chaussée.

Enduit : préparation pâteuse ou semi-fluide que l'on applique sur la section de coupe d'une branche élaguée ou sur les blessures des arbres.

Épidémie : maladie infectieuse qui frappe en même temps et en un même endroit un grand nombre d'organismes vivants.

Épiphyte : plante qui croît sur une autre en l'utilisant comme support et non comme source d'alimentation. La plupart des lichens sont des épiphytes.

Émondage : Rendre net, rendre propre non seulement en éliminant certaines branches au ras du tronc, mais en coupant aussi l'extrémité des branches ou des rameaux à la périphérie de la cime.

Essence : signifie ici l'espèce d'arbre ou d'arbuste.

Fiente : excréments mous ou liquides des oiseaux et de certains animaux.

Flétrissure : Symptôme qui se manifeste par un fanage plus ou moins prononcé et même des rameaux encore verts d'une plante, résultant d'une diminution plus ou moins grande de la turgescence des tissus.

Fongicide : substance ou préparation destinée à tuer les spores ou le mycélium d'un champignon parasite.

Fongique : qui a trait aux champignons; de la nature des champignons.

Gigantisme : exagération du développement d'une partie d'une plante ou de la plante entière.

Gommose : production anormale, à la surface de parties affectées par un agent quelconque, d'une exsudation claire qui se solidifie et devient insoluble dans l'eau.

Habitat : environnement ou milieu naturel d'un organisme.

Herbacée : qui a l'aspect et la consistance de l'herbe.

Herbicide ou phytocide : substance chimique spécialement conçue pour enrayer le développement et la prolifération des plantes nuisibles.

Hétérotrophe : se dit d'un organisme qui ne peut subsister qu'à partir de substances organiques, comme les champignons.

Horticulture : branche de l'agriculture qui couvre la culture des jardins, des potagers, des essences ornementales et des fleurs.

Incubation : période comprise entre le début de l'infection (par un phytopathogène) et l'apparition des premiers symptômes de la maladie.

Infecter : action de contaminer un organe de plante par un organisme infectieux.

Infectieux : qui produit l'infection.

Infection : période durant laquelle l'agent pathogène stimule chez son hôte une réaction pathologique qui s'étend du moment de l'inoculation jusqu'à la mort ou à la guérison par élimination du parasite. C'est durant cette période que le pathogène manifeste sa pathogénicité et la plante sa susceptibilité.

Inflorescence : ensemble des fleurs groupées sur un pédoncule.

Inoculation : action de transférer un inoculum de sa source à un point d'infection.

Insecticide : substance chimique ou biologique spécialement conçue pour combattre les insectes nuisibles.

L **Lésion :** altération d'un tissu ou d'un organe provoquée par un traumatisme, un agent pathogène, etc.

Ligneuse : qui a la consistance du bois.

M **Macroscopique :** que l'on peut voir à l'œil nu.

Maladie : trouble ou déviation qui se manifeste dans les fonctions ou dans la structure d'un organisme ou d'une plante et qui l'affecte en tout ou en partie dans un, plusieurs ou la totalité de ses organes.

Maladie infectieuse : maladie causée par un agent pathogène et qui peut être transmise d'une plante malade à une plante saine.

Microscopique : que l'on peut voir uniquement au microscope.

Mildiou : terme réservé aux maladies causées par des champignons du groupe des Phycomycètes. Le mycélium duveteux se développe à la surface des tissus affectés de la plante, aussi bien qu'en profondeur, causant ainsi leur destruction lorsque des conditions climatiques sont favorables. C'est le cas de

Phytophthora infestans (Mont.) De Bary sur les pommes de terre.

Moignon : ce qui reste d'une grosse branche d'arbre coupée ou cassée.

Moisissure : nom qui désigne des végétations cryptogamiques très communes, se développant à la surface de supports divers soumis à l'humidité et les recouvrant d'un feutrage plus ou moins abondant diversement coloré et blanc.

Mouillure : aspect anormalement mouillé de la surface des feuilles.

Mycélium : masse d'hyphes constituant le thalle d'un champignon.

Mycologie : branche de la botanique qui étude les champignons.

N

Nanisme : état d'une plante ou d'une partie de plante arrêtée dans sa croissance.

Nécrose : mort d'une partie de plante résultant d'une cause externe. La nécrose est caractérisée par un brunissement des tissus.

Nodule : renflement et déformation qui se forment sur les branches des arbres. Ex. : le nodule noir du Cerisier.

Noircissement : coloration noire apparaissant graduellement sur les tissus tendres des feuillus.

Nutrition : mode de lutte contre les maladies qui consiste à appliquer des fertilisants pour protéger temporairement une plante contre une maladie.

P

Paillis : couche de paille destinée à conserver l'humidité du sol.

Pansement : voir *Protectant*.

Pathologie végétale : Voir *Phytopathologie*.

Pesticide : substance ou préparation destinée à combattre les ennemis des cultures et des récoltes.

Photosensible : sensible à la lumière.

Physiogénique : se dit des maladies dues à d'autres agents que des organismes pathogènes.

Phytopathologie : branche de la science qui étudie les maladies des plantes.

Phytotoxique : se dit d'une substance ou d'une préparation toxique pour les plantes.

Pilifère : garni de poils fins.

Plante susceptible : terme qui s'applique à une plante sujette à une maladie spécifique lorsqu'elle est en présence d'un organisme pathogène.

Pourridié-agaric : nom donné à la fois à une maladie et au champignon qui la cause, dont le nom scientifique est *Armillaria mellea*; d'autres Armillaires moins connus provoquent également cette maladie.

Protectant : substance qui protège un organisme contre les attaques d'un parasite.

Protection : action de protéger, de préserver un hôte contre les attaques d'un parasite en établissant des barrières entre l'hôte susceptible et le parasite qui peut l'infecter si les conditions lui sont favorables.

Pulvérisation : dispersion d'une bouillie à l'état de gouttelettes fines.

Pustule : soulèvement de l'épiderme qui peut éclater et libérer les spores de l'agent pathogène.

R

Radicelle : la plus petite racine du système radiculaire des plantes.

Rejets : branches nouvelles qui naissent à partir d'une souche ou à la base d'une tige ligneuse morte.

Répulsifs : substances qui repoussent les rongeurs sans toutefois les exterminer.

Résinose : production excessive de résine sur une blessure ou une partie affectée d'un arbre.

Résistance : capacité d'un organisme ou d'une plante à surmonter complètement ou incomplètement l'action d'un pathogène ou d'un autre facteur.

Rhizomorphe : cordons de mycélium, ramifiés et anastomosés, d'aspect radiculaire.

Rouges : champignons défoliateurs des résineux; ils sont très petits et affectent principalement les jeunes aiguilles.

Rouille : maladie causée par des champignons de l'ordre des Urédinales.

Rouille vésiculeuse du Pin blanc : cette variété de rouille est produite par un champignon parasite dont le nom scientifique est *Cronartium ribicola*.

Rusticité : faculté qu'a une essence donnée de s'adapter à une région géographique particulière.

Rustique : se dit d'un arbre ou d'un végétal qui résiste bien aux conditions dans lesquelles il croît.

S

Saprophyte : se dit d'un organisme qui vit aux dépens de matières organiques en décomposition.

Scolyte : insecte coléoptère qui vit sous l'écorce des arbres et y creuse de nombreuses galeries.

Shigometer : instrument qui permet de sonder l'intérieur des arbres et de vérifier ainsi l'état de santé des tissus internes.

Signe : ensemble des manifestations (symptômes) qui permettent d'affirmer qu'une plante est affectée par telle ou telle maladie. Un signe permet d'identifier la cause d'une maladie.

Spore : corpuscule reproducteur de nombreuses espèces végétales; dans ce cas-ci, il s'agit des champignons.

Sporulation : production de spores chez les champignons.

Stress : action brutale sur un organisme vivant et pouvant provoquer un traumatisme.

Suintement : coulée de sève à travers les tissus (écorce) des plantes.

Support : matière sur laquelle se développe un champignon.

Susceptibilité : réaction pathologique d'un individu aux attaques d'un agent pathogène.

Symptôme : expression sensible de la réaction de la plante à l'action de l'agent pathogène.

Systémique : qui se déplace ou est transmis à l'intérieur de la plante.

T **Tache :** symptôme caractérisé par une nécrose limitée des tissus de surface, à marge définie, circulaire ou oblongue, sèche, brune, légèrement ratatinée, mais non déprimée.

Tarière de Pressler : instrument qui permet de sonder l'intérieur d'un arbre et de prélever un bâtonnet.

Tavelure : maladie des arbres fruitiers qui se manifeste par des taches brunes cuirassées sur tous les organes.

Tenseur : instrument servant à tendre ou à resserrer deux câbles.

Tolérance : degré d'endurance d'une plante aux effets des parasites.

Toxicité : faculté que possède une substance d'engendrer, par pénétration dans l'organisme en une seule fois ou à doses répétées, des altérations passagères ou durables d'une ou plusieurs fonctions de cet organisme. Caractère de ce qui est toxique.

Traumatisme : ensemble des troubles anatomiques, morphologiques et physiologiques causés par une lésion ou une blessure.

Tumeur : renflement ou excroissance produit sur une plante et résultant de l'attaque par un champignon ou un autre agent.

U **Unicellulaire :** organisme vivant composé d'une seule cellule.

BIBLIOGRAPHIE

ANDERSON, E.G., 1973. *L'Herbe à la puce,* publ. 820, Agriculture Canada, Ottawa.

ANONYME, 1976. *Rx for wounded trees,* AIB-387, Forest Service, U.S. Dept. of Agriculture, É.-U.

ANONYME, 1974. *Your tree's trouble may be you,* Agriculture Information Bull. 372, Forest Service, U.S. Dept. of Agriculture, Washington, É.-U.

ANONYME, 1983. *La transplantation des arbres et des arbrisseaux,* publ. 1168, ministère de l'Agriculture du Canada, Ottawa, Canada.

ANONYME, 1986. *Guide de protection des plantes ornementales,* Agdes-270/600, Agriculture Québec, Québec.

ATKINSON, H.J., 1964. *Chaux et autres amendements du sol,* pub. 869, Ministère de l'agriculture du Canada, Ottawa, Canada.

AUBÉ, C., 1971. *Glossaire des termes utilisés en pathologie végétale,* Phytoprotection, vol. 52, no 1. Ministère de l'agriculture du Canada, Canada.

AUGER, A., 1965. *Le sol, sa fertilisation,* publ. 249, ministère de l'Agriculture du Québec, Québec.

BENOIT, P.Ed., 1975. *Noms français d'insectes au Canada,* publ. QA48-R4-30, Agriculture Québec, Québec.

CARTER, J.C., 1970. *Illinois trees : Selection, Planting and Care,* circulaire 51, Illinois Natural History Survey, Urbana, É.-U.

CARTER, J.C., 1975. *Diseases of Midwest trees,* publ. spéciale 35, Université de l'Illinois, College of Agriculture, Urbana, É.-U.

COLE, T.J., 1983. *La culture des arbres dans les jardins canadiens,* publ. 1722 F, Agriculture Canada, Canada.

DAVIDSON, J.G., 1974. *Notes de pathologie forestière,* publ. TF1-C126, ministère de l'Énergie et des Ressources du Québec, Québec.

DELISLE, R., 1973. *Transplantation d'arbres d'ornement,* publ. TF1-C52, ministère de l'Énergie et des Ressources du Québec, Québec.

DESSUREAULT, M., G. LAFLAMME, G.B. OUELLET et R. PICHER, 1982. *Recommandations de lutte contre la maladie hollandaise de l'Orme au Québec,* Direction générale des forêts, ministère de l'Énergie et des Ressources du Québec, Québec.

EN COLLABORATION, 1983. *Guide for establishing values of trees and other plants,* International Society of Arboriculture, Illinois, É.-U.

EN COLLABORATION, 1973. *Insectes nuisibles et maladies des arbres forestiers d'importance et d'intérêt mutuels pour le Canada, les États-Unis et le Mexique,* publ. 1180F, Service canadien des forêts, Ottawa, Canada.

EN COLLABORATION, 1975. *Noms des maladies des plantes au Canada,* publ. QA-38-R4-1, ministère de l'Agriculture du Québec, Québec.

EN COLLABORATION, 1982. *La maladie hollandaise de l'Orme,* ministère de l'Énergie et des Ressources et ministère de l'Environnement du Québec, Québec.

FEUILLETS D'INFORMATION sur *Les insectes forestiers* du Centre de Foresterie des Laurentides. Plusieurs auteurs : R. Martineau; L. Jobin; R. Lavallée; P. Benoît; D. Lanchance; R.J. Finnegan; C. Coulombe; J. Morissette et G. Laflamme.

GINNS, J.H., 1986. *Compendium of Plant disease and decay fungi (1960-80),* Biosystematic Research Center, publ. 1813, Agriculture Canada, Ottawa.

GRISVARD, P. et V. CHAUDUN, 1964. *Le bon jardinier, Encyclopédie horticole*, tome II, 152e éd., Paris, La Maison Rustique.

HEPTING, G.H., 1971. *Diseases of forest and shade trees of the United States*, Forest Service, U.S. Dept. of Agriculture, Agr. Handbook 386.

HOSIE, R.C., 1972. *Arbres indigènes du Canada*, Service canadien des forêts, Ottawa, Canada.

HOUSTON, D.R., 1981. *Stress Triggered tree Diseases the Diebacks and Declines*, (NE-INF-41-81), Forest Service, U.S. Dept. of Agriculture, É.-U.

HOWES, F.N., 1931. *A Dictionary Useful and Every Day Plants and their Common Names*, New York, Cambridge University Press, É.-U.

HUDLER, G.W., 1971. *Salt Injury Roadside Plants*, publication du New York State College of Agriculture and Life Sciences, bulletin d'information 169. Plant sciences/Plant pathology - 12. State University at Cornell University, Ithaca, New York, É.-U., s.d.

JOHNSON, D., 1987. *«Open-face felling». A (relatively) safe way to do the most dangerous job in the woods, 1978*, County journal, p. 25, É.-U.

JOHNSON, W.T., G.W. HUDLER, W.A. SINCLAIR, A. BING et J.W. CASLICK, 1984-1985. *Cornell Recommandations for Pest Control for Commercial Production and Maintenance of Trees and Shrubs*, New York State College of Agriculture and Life Sciences, Cornell University, Ithaca, É.-U.

KNOWLES, M.R.H., 1973. *Taille des arbres*, pub. 1505, Ministère de l'agriculture du Canada, Ottawa.

LACHANCE, D., 1975. *Le pourridié-agaric*, feuillet d'information, CRFL-14 Centre forestier des Laurentides, Service canadien des forêts, Québec, Canada.

LACHANCE, D., 1992. *Le chancre eutypelléen de l'Érable*, feuillet d'information CFL-8., Centre de foresterie des Laurentides, Forêt Canada, Québec, Canada.

LAFLAMME, G., 1991. *Le chancre scléroderrien du pin,* feuillet d'information CFL-3. Centre de Foresterie des Laurentides, Forêt Canada, Québec, Canada.

LANIER, L., P. JOLY, P. BONDOUX et A. BELLEMERE, 1976. *Mycologie et pathologie forestières,* tome II, Pathologie forestière, Paris, Masson.

LAROCHE, C., octobre1978. «Malade comme un arbre», *Québec-Science,* Québec.

LAVALLÉE, A., Ed. Centre de recherches forestières des Laurentides, Service canadien des forêts, Québec, Canada. Feuillets d'information :
Le chancre cystoporéen de l'épinette, CRFL 1, 1985;
Dessiccation hivernale et gel des bourgeons, CFL-2, 1992;
La brûlure du saule, CRFL-9, 1982;
La maladie corticale du Hêtre, CRFL-12, 1985;
Le nodule noir du cerisier, CRFL-16, 1983
Le dépérissement des arbres d'ornement, CRFL-17;
Protection pré-hivernale des arbres, CFL-20, 1986;
Le chancre hypoxylonien du Peuplier, CFL-21, 1990;
Les risques d'infection par la rouille vésiculeuse du Pin blanc, CFL-23, 1986.

LAVALLÉE, A., 1976 *«Le champ d'action du pathologiste en foresterie ornementale et urbaine»,* Forêt-Conservation, *juillet-août, Québec.*

LOOMIS, R.C. et W.H. PADGETT, 1975. *Air pollution and Trees in the East,* U.S. Dept. of Agriculture, Forest Service State & Private Forestry, Northeastern Area and Southeastern Area, É.-U.

LORTIE, M., 1984. *Le chancre nectrien des feuillus,* Feuillet d'information CRFL-10, Centre forestier des Laurentides, Service canadien des forêts, Québec, Canada.

MALHOTRA, S.S. et R.A. BLAUEL, 1983. *Diagnostic des symptômes des stress provoqués par les polluants atmosphériques et les agents naturels sur la végétation forestière dans l'Ouest canadien,* Rapp. inf. NOR-X-228F, Centre de recherches forestières du Nord, Edmonton, Alterta.

MARIE-VICTORIN, FRÈRE, 1964. *Flore laurentienne,* Montréal, Québec, Presses de l'Université de Montréal.

MARTINEAU, R. et D. LACHANCE, 1976. *Deux ravageurs du Sorbier au Québec,* feuillet d'information 19, Centre forestier des Laurentides, Service canadien des forêts, Québec, Canada.

MOREAU, C. 1978. *Larousse des Champignons,* Paris, Larousse.

OLIVER, R.W., 1960. *La culture des arbres d'ornement pour les jardins canadiens,* publ. 994, ministère de l'Agriculture du Canada, Ottawa.

OLIVER, R.W., 1965, *Arbres d'ornement,* publ. 995, ministère de l'Agriculture du Canada, Ottawa.

PARADIS, C., 1978. *La maladie hollandaise de l'orme,* ministère des Terres et Forêts du Québec, Québec, Canada.

PARADIS, C., 1978. *Le pourridié-agaric,* ministère des Terres et Forêts du Québec, Québec, Canada.

PEARSON, R.G., S.N. LINZON, D.P., ORMROD et G. HOFSTRA, 1973. *Air pollution and Horticultural Crops,* Agdex-200-691, order no 73-108, ministère de l'Agriculture et de l'Alimentation, Ontario, Canada.

PELLISSIER, M., 1972. *La pollution atmosphérique et ses effets sur la végétation,* publ. du Service de protection de l'Environnement-Québec et de l'Université du Québec à Trois-Rivières. Étude réalisée à Shawinigan, Grand-Mère, Trois-Rivières et Cap-de-la-Madeleine, Québec.

PIRONE, P.P., 1970. *Diseases and Pests of Ornemental Plants,* New York, The Ronald Press Company.

ROBINETTE, G., 1968. «Functional use of Plant materials», *Nursery Business magazine,* juillet, É.-U.

ROSE, A.H. et O.H. LINDQUIST, 1977. Centre de recherches forestières des Grands-Lacs, Service canadien des forêts, Sault-Sainte-Marie, Ontario : *Insectes des épinettes, des sapins et de la pruche de l'Est du Canada,* 1977.

Insectes du mélèze, du thuya et du genévrier de l'Est du Canada, 1980.

Insectes des feuillus de l'Est du Canada, 1982.

SCOTT, A., 1965. *Les Sols : Nature, Propriétés, Amélioration*, Montréal, Québec, Librairie Beauchemin ltée.

SÉGUIN, D.A. *Plantation d'arbres et d'arbustes, N° 37-238*, ministère de l'Agriculture du Québec, Québec.

SÉGUIN, D.A., 1966. *La propagation des plants*, publ. 290, ministère de l'Agriculture du Québec, Québec.

SÉGUIN, D.A., 1975. *La taille des arbres, arbustes et conifères*, ministère de l'Agriculture du Québec, Québec.

SHERK, L.C. et A.R. BUCKLEY, 1972. *Arbustes ornementaux pour le Canada*, publ. 1286-F, ministère de l'Agriculture du Canada, Ottawa.

SHIGO, A.L. & E.VH. LARSON, 1969. *A photo guide to the patterns of discoloration and decay in living northern hardwood trees*, U.S.D.A., Forest service Research paper NE-127, Northeastern Forest Experiment Station, Upper Darby, PA. Forest Service, U.S. Dept. of Agriculture, É.-U.

SHIGO, A.L., 1973. *A tree hurts, too*, Northeastern Forest Experiment Station & Forest Service. U.S. Dept. of Agriculture, Washington, É.-U..

SHIGO, A.L., 1987. *La santé de l'arbre*, Shigo and Trees Associates, Durham, N. H., É.-U.

SINCLAIR, W.A., H.H. LYON & W.T. JOHNSON, 1987. Diseases of Trees and Shrubs, Cornell University Press, Ithaca and London, 574 p.

TAYLOR, G.,1976. *Compendium on pesticides registered for use in Canada against pests of forests, trees, and shrubs*, rapp. CC-X-19, Chemical Control Research Institute, Service canadien des Forêts, Agriculture Canada, Ottawa.

THIBAULT, M., 1977. *Quelques arbres et arbustes indigènes pouvant servir comme plantes ornementales dans les comtés d'Abitibi-Est et Ouest,* Québec, publ. rég. 1, Dépt. Foresterie, C.S.R. Harricana, Amos, Québec.

THIBAULT, M., 1978. *Petit guide des arbres et des arbustes pour l'Abitibi,* Québec, publ. 2, Société des Sciences naturelles d'Amos et Dépt. de Foresterie, C.S.R. Harricana, Amos, Québec.

TRÉPANIER, J., 1970. «Les merveilles de la photosynthèse», *Le Papetier,* août 1970.

UPHOF, J.C. Th. 1968. *Dictionary of economic plants,* New York, Verlag Von J. Cramer, É.-U.

WHITNEY, R.D., 1988. *L'ennemi caché. Transfert de la technologie concernant les pourridiés,* Ottawa, Service canadien des Forêts et ministère des Richesses naturelles de l'Ontario.

TABLE DE CONVERSION

LONGUEUR

pouce	=	2,54 cm	millimètre	=	0,039 po
pied	=	0,3048 m	centimètre	=	0,394 po
verge	=	0,914 m	décimètre	=	3,937 po
mille	=	1,609 km	mètre	=	3,28 pi
kilomètre	=	0,621 mille			

SURFACE

po carré	=	6,452 cm²	cm²	=	0,155 po carré
pied carré	=	0,093 m²	m²	=	1,196 verge carrée
verge carrée	=	0,836 m²	km²	=	0,386 mille carré
mille carré	=	2,59 km²	ha	=	2,471 acres
acre	=	0,405 ha			

VOLUME

pouce cube	=	16,387 cm³	cm³	=	0,061 po cu
pied cube	=	0,028 m³	m³	=	31,338 pi cu
verge cube	=	0,765 m³	hectolitre	=	2,8 boisseaux
boisseau	=	36,368 litres	m³	=	1,308 ver. cu
pied planche	=	0,0024 m³			

CAPACITÉ

once liquide	=	28,412 ml	litre	=	35,2 on. liquide
chopine	=	0,568 litre	hectolitre	=	22 gallons
gallon	=	4,546 litres			

POIDS

once	=	28,349 g	gramme	=	0,035 on avdp
livre	=	453,592 g	kilogramme	=	2,205 lb avdp
quintal	=	45,359 g	tonne	=	1,102 tonne courte
tonne	=	0,907 tonne (métrique)			

PROPORTION

1 gal/acre	=	11,232 li/ha	1 litre/ha	=	14,24 on liq/acre
1 lb/acre	=	1,120 kg/ha	1 kg/ha	=	14,5 on avdp/acre
1 lb/po carré	=	0,0702 kg/cm2	1 kg/cm2	=	14,227 lb/po carré
1 boi/acre	=	0,898 hl/ha	1 hl/ha	=	1,112 boi/acre

TABLE DES MATIÈRES

NOTES SUR LE TERRAIN

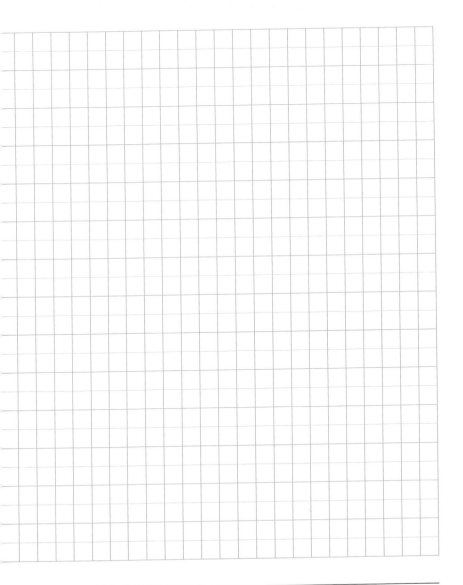

GUIDE DU SOIN DES ARBRES

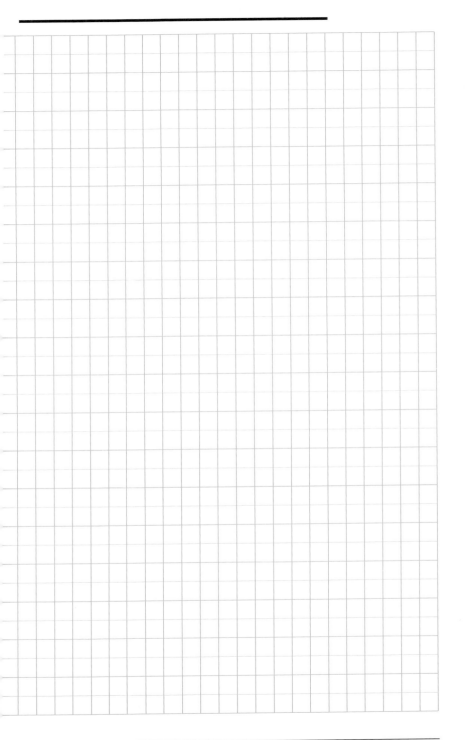

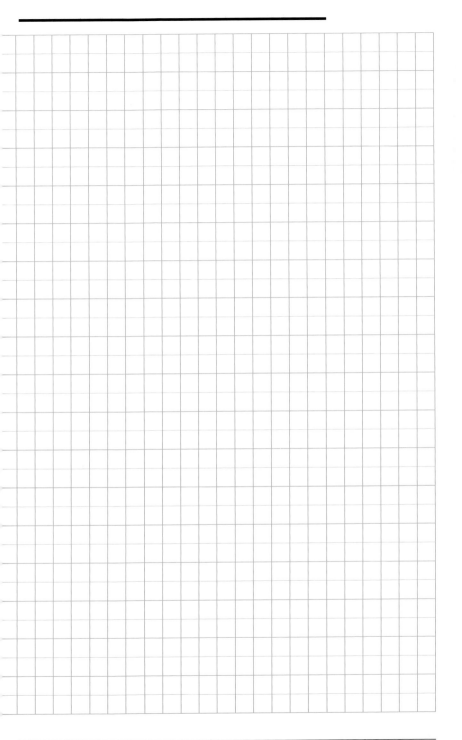

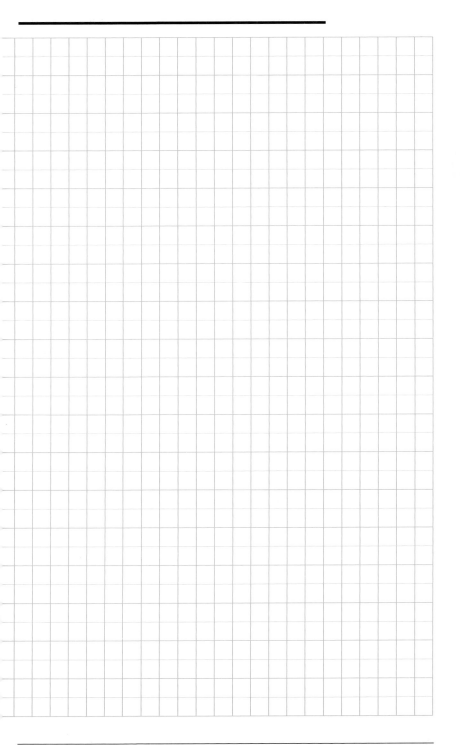